Maman,
j'ai faim !

L'éditeur tient à remercier les boutiques *3 femmes et 1 coussin, Stokes, Renaud-Bray et Mortimer Snodgrass* pour le prêt de la vaisselle et des accessoires lors de la séance photo.

© Marie-Claude Morin et Les Publications Modus Vivendi inc., 2011

LES PUBLICATIONS MODUS VIVENDI INC.
55, rue Jean-Talon Ouest, 2ᵉ étage
Montréal (Québec) H2R 2W8
CANADA

www.groupemodus.com

Éditeur : Marc Alain
Éditrice adjointe : Isabelle Jodoin
Designer graphique : Catherine Houle
Photographe : André Noël
Styliste culinaire : Simon Roberge
Photographe des enfants et de Marie-Claude Morin : Le Studio (photographe André Rozon)
Photo de la page 17 : © Manaemedia|Dreamstime.com
Photo de la page 39 : © Junona Mamluke|Dreamstime.com

ISBN 978-2-89523-698-6

Dépôt légal — Bibliothèque et Archives nationales du Québec, 2011
Dépôt légal — Bibliothèque et Archives Canada, 2011

Nous reconnaissons l'aide financière du gouvernement du Canada par l'entremise du Fonds du livre du Canada pour nos activités d'édition.

Gouvernement du Québec — Programme de crédit d'impôt pour l'édition de livres — Gestion SODEC

Imprimé au Canada

Maman, j'ai faim!

Marie-Claude Morin

MODUS VIVENDI

Merci aux petites frimousses du livre... Erika et Ulrich Dupuis. Kian Richer.
Enya et Raphaël Vanasse. Delia Scarlett. Bili, Dali, Loïc
et Manu Viscasillas.

Vous m'inspirez !!!

Table des matières

Introduction

Je suis tellement contente qu'on m'ait proposé de donner un petit frère (à moins que ce ne soit une petite sœur) à mon livre *Recettes pour bébés et enfants*. C'est signe que vous appréciez les recettes que je vous propose depuis quelques années. C'est aussi signe que vous avez de plus en plus envie de cuisiner. Une bonne bouffe maison... Y'a-tu quelque chose de meilleur que ça ? On aime déposer un bon plat sur la table et le partager en famille. On dit oui à une petite virée au resto une fois de temps en temps. On dit oui aux mets préparés quand le temps file à vive allure. Mais vive le réconfort et la santé d'un bon repas maison !

Votre envie de cuisiner me réjouit doublement parce que ce nouveau livre s'inscrit parfaitement dans ma démarche. *Recettes pour bébés et enfants* est sorti à l'automne 2007. Je venais alors d'accoucher d'une belle petite fille bien dodue. J'étais dans les purées par-dessus la tête. Mes petites bouches à nourrir étaient encore très jeunes. Comme le temps passe très vite, les enfants ont grandi à une vitesse qui m'étourdit encore. Ils ont pris le chemin de l'école et c'est la raison pour laquelle j'ai proposé *Boîte à lunch pour enfants* sorti à l'automne 2010. Les enfants grandissent et sont prêts à relever de nouveaux défis. Avec *Maman, j'ai faim !* j'ai envie qu'on aille un peu plus loin ensemble. J'ai envie de nous faire sortir des sentiers battus et d'affronter nos petits difficiles.

Le poisson

Je vous propose un livre dans la continuité de ce que j'ai fait jusqu'à maintenant : des idées pour le déjeuner, des solutions rapides pour la collation, des recettes pour le lunch, des plats principaux et des desserts santé. J'ajoute cependant à ces idées un chapitre qui s'intitule *Apprivoiser la mer*. J'avais envie depuis longtemps d'offrir des idées de recettes pour initier les enfants aux poissons et aux fruits de mer. Le *Guide alimentaire canadien* suggère au moins deux portions de poisson par semaine. Je pense qu'il est bon d'initier nos enfants alors qu'ils sont très jeunes. Un « OUACHE ! » et un « ÇA PUE ! » peuvent se transformer en « J'AIME ÇA !!! ». J'en suis la preuve vivante. Mes enfants si rébarbatifs aux fruits de mer se battent aujourd'hui pour les calmars et les crevettes. Qui l'eut cru !!!

Les légumes

J'avais aussi envie de proposer un chapitre qui s'intitule *Apprivoiser les légumes*. Pourquoi les légumes sont-ils si difficiles à faire avaler aux enfants ? Ils sont pourtant si beaux, bons, variés, colorés et riches pour la santé. Nous devrions laisser la plus grande place du monde aux légumes dans notre assiette. Les études nous le répètent encore et toujours. On recommande entre 4 et 6 portions de fruits et de légumes par jour selon l'âge des enfants. J'aime donc donner aux légumes la grande place qui leur revient. Je pousse même l'audace en vous proposant des recettes qui mettent en vedette les légumes les moins populaires auprès de nos enfants. Je le répète souvent..., il ne faut pas être paresseux avec les enfants et oser leur proposer des aliments auxquels ils ne sont pas habitués. C'est une belle façon de leur permettre de développer leur goût et leur ouverture d'esprit.

Sur mes blocs de départ en cuisine, il y a pratiquement toujours de l'ail et de l'oignon. J'en mets partout. Ils sont extraordinaires pour parfumer naturellement les plats. Je dirais qu'ils sont les deux premiers légumes à apprendre à utiliser dans la cuisine. Suivront naturellement les légumes-racines comme la carotte ou la pomme de terre. Et viendront se greffer tous les autres légumes... du céleri à l'aubergine, en passant par la courgette et le chou-fleur. Vos enfants aiment les légumes crus ? Servez les légumes crus ou légèrement cuits. Vos enfants aiment les légumes verts ? Cuisinez des légumes verts. Vos enfants préfèrent les légumes coupés en petits morceaux ? Coupez vos légumes en petits morceaux. Ces petites attentions vont peut-être se transformer en grande histoire d'amour avec les légumes. Qu'est-ce qu'on ne ferait pas pour plaire à nos enfants et pour réussir à faire passer un bouquet de brocoli ?

La cuisine végétarienne

Je me fais un devoir de répéter, dans chacun de mes livres, que ma famille est végétarienne, avec quelques petits écarts de conduite. C'est la raison pour laquelle les recettes de ce livre sont majoritairement végétariennes. Elles pourront, j'espère, vous donner des idées différentes et des solutions de rechange à mettre au menu. Les gens me demandent souvent si j'ai peur que mes enfants aient des carences. Je réponds presque toujours la même chose. Je pense que la solution est dans la variété et dans le choix d'aliments santé de qualité. Et je pense que ce principe s'applique à n'importe quel type d'alimentation.

Qualité et variété

Qualité et variété sont des mots qui reviennent souvent dans mon vocabulaire. Je continue à croire que la clé du succès est là. Pour la variété, on prend soin de célébrer les couleurs dans l'assiette, de célébrer la nouveauté et de varier le choix de nos aliments. Pour la qualité, on choisit les aliments les plus complets possible. On opte pour des céréales et des grains entiers. On se tient le plus loin possible des aliments transformés et de ceux qui contiennent des agents de conservation et des additifs. On met l'accent sur la fraîcheur avec des fruits et des légumes de qualité. On utilise des bons gras pour cuisiner et on réduit la quantité de sucre de nos recettes.

En route !

Je reviens à l'image de la voiture pour illustrer ce dont le corps a besoin pour être en super forme. Les protéines représentent le moteur de la voiture. Elles permettent au corps de bien se développer : viande, tofu, œufs, légumineuses, noix... **Les glucides** représentent l'essence et l'énergie dont l'enfant a besoin pour traverser sa journée. On parle évidemment de sucres complexes, et non de sucres raffinés ou des céréales blanchies. Fruits, riz brun, pâtes, pain complet et céréales seront au menu. **Les lipides** permettent de bien huiler le moteur. On choisit des bons gras comme l'huile d'olive, de tournesol, des noix et des graines de qualité. Les fibres sont le tuyau d'échappement qui permet au corps de se débarrasser de ses déchets. Et ce qu'on garde toujours dans le coffre de la voiture ? Un bon lot de **vitamines**, de calcium, du fer et des aliments qui nous font plaisir... N'hésitez pas à avoir un coffre de voiture bien garni et un garde-manger rempli de bons aliments.

Merci !

En terminant, merci pour vos nombreux commentaires depuis la sortie de mon tout premier livre de recettes. Vous avez été nombreux à me dire que mes livres se retrouvaient en permanence sur le comptoir de votre cuisine. Quel beau compliment ! N'est-ce pas l'endroit où devraient se retrouver tous les livres de recettes ? Les pages sont cornées, notées, salies ? Mission accomplie !!! C'est un peu la définition que je fais d'un livre de recettes. C'est un livre qui nous suit au quotidien avec des recettes faciles, des recettes rapides, des recettes accessibles... **Bon appétit !**

Équivalences Québec/France	
Québec	France
Soda à pâte	Bicarbonate de soude
Canneberges	Cranberries
Fromage à la crème	Kiri, St Morêt
Papier parchemin	Papier sulfurisé
Farine tout usage	Farine type 55
Fécule de maïs	Maïzena
Crème sure	Crème aigre
Lime	Citron vert
Cassonade	Sucre roux
Pacanes	Noix de pécan
Yogourt	Yaourt

On
déjeune

Tous les matins, mes enfants sont affamés. Nos déjeuners sont devenus un véritable rituel. Nos déjeuners sont variés, réfléchis, différents et bourrés de bons glucides pour faire le plein d'énergie pour la journée. On passe souvent un temps fou à planifier le repas du soir, mais on néglige le repas le plus important de la journée. Vive le déjeuner !

Muffins à la courgette

Donne 12 muffins. Je ne sais pas si c'est la même chose chez-vous, mais la courgette n'est pas le légume préféré de mes enfants. Voici une recette pour la faire passer inaperçue.

¼ tasse	**huile végétale**	60 ml
⅓ tasse	**sucre**	65 g
⅔ tasse	**compote de pommes**	160 ml
2	**œufs**	2
1 tasse	**courgette**, râpée	225 g
2 tasses	**farine de blé entier**	300 g
3 c. à thé	**levure chimique**	15 g
1 c. à thé	**bicarbonate de soude**	5 g
1 pincée	**sel**	1 pincée
⅓ tasse	**noix de Grenoble**, hachées	50 g
½ tasse	**dattes séchées**, hachées	113 g

Préchauffer le four à 190 °C (375 °F).

Dans un bol, mélanger l'huile, le sucre, la compote de pommes et les œufs. Ajouter la courgette. Mélanger à nouveau.

Incorporer graduellement le reste des ingrédients.

Déposer dans des moules à muffins huilés. Cuire au four 25 minutes.

Muffins érable et noix

Donne 24 mini-muffins sucrés naturellement au sirop d'érable.

2	œufs	2
½ tasse	sirop d'érable	125 ml
⅓ tasse	huile végétale	80 ml
1½ tasse	farine de blé entier	225 g
2 c. à thé	levure chimique	10 g
½ c. à thé	bicarbonate de soude	2,5 g
1 pincée	sel	1 pincée
½ tasse	noix de Grenoble, hachées	75 g

Préchauffer le four à 190 °C (375 °F).

Dans un bol, mélanger les œufs, le sirop d'érable et l'huile végétale.

Dans un autre bol, mélanger la farine, la levure chimique et le bicarbonate de soude. Incorporer le mélange sec aux ingrédients humides. Bien remuer et ajouter les noix de Grenoble.

Déposer le mélange dans des mini-moules à muffins bien huilés.

Cuire au four 15 à 18 minutes, ou jusqu'à ce que les muffins soient bien dorés.

Crêpes aux pommes

Petit crounch des pommes... Savoureux !!! Donne environ 6 grandes crêpes.

½ tasse	**compote de pommes**	125 ml
⅓ tasse	**raisins secs**	80 g
2 tasses	**farine de blé entier**	300 g
1 c. à thé	**levure chimique**	5 g
2	**œufs**	2
2 tasses	**lait**	500 ml
1	**pomme**, coupée en petits dés	1
½ c. à thé	**cannelle**	2,5 g

Dans un petit bol, déposer la compote de pommes et les raisins secs. Chauffer au micro-ondes 2 minutes.

Ajouter graduellement le reste des ingrédients. Remuer délicatement.

Dans une grande poêle, à feu moyen, faire cuire les crêpes dans un peu de beurre.

Napper de sirop d'érable et ajouter quelques fraises comme garniture.

Petits muffins aux agrumes

C'est un « must » d'avoir des moules à petits muffins. Ils sont très pratiques pour la famille. Les enfants adorent manipuler des petits muffins. Voici une recette sans sucre ajouté.

2 tasses	farine de blé entier	300 g
1 c. à thé	bicarbonate de soude	5 g
2 c. à thé	levure chimique	10 g
¾ tasse	noix de coco sucrée	170 g
2 c. à thé	zeste d'orange	10 g
1 c. à thé	zeste de citron	5 g
¾ tasse	jus d'orange	180 ml
¼ tasse	jus de citron frais	60 ml
¼ tasse	huile végétale	60 ml
1	œuf	1
⅓ tasse	canneberges séchées	80 g

Préchauffer le four à 190 °C (375 °F).

Dans un bol, mélanger la farine, le bicarbonate de soude, la levure chimique et la noix de coco.

Dans un autre bol, mélanger le zeste et le jus des deux fruits ainsi que l'huile végétale et l'œuf.

Incorporer graduellement le mélange sec au mélange humide. Ajouter les canneberges. Bien remuer.

Verser le mélange dans des mini-moules à muffins huilés.

Cuire au four 18 minutes.

Pas assez sucré ?

Ajouter ¼ de tasse (50 g) de cassonade.

Pain perdu (mais pas si perdu que ça...)

J'aime bien faire cette recette avec une baguette de la veille (ou de quelques jours) que j'ai achetée expressément pour l'occasion.

1	pain baguette	1
2	œufs	2
1 tasse	lait	250 ml
½ c. à thé	cannelle	2,5 g
⅓ tasse	noix de coco sucrée	85 g
⅓ tasse	pacanes, hachées finement	50 g

Couper le pain baguette dans le sens de la longueur. Couper par la suite en 3 ou 4 morceaux.

Dans un plat carré, mélanger les œufs, le lait, la cannelle, la noix de coco et les pacanes.

Bien tremper chacun des morceaux de pain dans le mélange. Laisser imbiber.

Dans une grande poêle, à feu moyen, cuire le pain perdu dans un peu de beurre jusqu'à ce que la cuisson soit à votre goût.

Muffins aux pommes

Comment faire de bons muffins sans mettre trop de sucre et trop de gras ? En trouvant des substituts comme la compote de pommes et les raisins secs. Donne 12 muffins.

2	œufs	2
¼ tasse	miel	60 ml
¼ tasse	huile végétale	60 ml
¼ tasse	yogourt nature	60 ml
1 tasse	compote de pommes	250 ml
2½ tasses	farine de blé entier	375 g
2 c. à thé	levure chimique	10 g
1 c. à thé	bicarbonate de soude	5 g
1 tasse	pommes, coupées en petits dés	225 g
⅓ tasse	raisins secs	80 g

	Garniture	
2 c. à soupe	cassonade	25 g
2 c. à soupe	gruau	11 g
1 c. à soupe	huile végétale	15 ml
1 c. à thé	cannelle	5 g

Préchauffer le four à 190 °C (375 °F).

Dans un bol, mélanger les œufs, le miel, l'huile végétale, le yogourt et la compote de pommes.

Dans un autre bol, mélanger la farine, la levure chimique et le bicarbonate de soude.

Incorporer graduellement le mélange sec au mélange humide.

Ajouter les pommes et les raisins secs. Remuer avec délicatesse. Verser le mélange dans des moules à muffins huilés.

Dans un petit bol, mélanger les ingrédients de la garniture. Saupoudrer sur les muffins.

Cuire au four 25 minutes.

Crêpes à l'épeautre

Donne environ 6 crêpes. L'épeautre est une céréale ancienne de la famille du blé. Riche en protéines et très goûteuse, elle est de retour sur nos tables.

1	œuf	1
1½ tasse	lait	375 ml
½ tasse	jus d'orange frais	125 ml
1 c. à thé	zeste d'orange	5 g
1 tasse	farine d'épeautre	150 g
1 tasse	farine de blé entier	150 g
1 c. à thé	levure chimique	5 g

Dans un bol, à l'aide d'un petit fouet, mélanger l'œuf, le lait, le jus d'orange et le zeste d'orange.

Ajouter graduellement le reste des ingrédients.

Dans une poêle, à feu moyen, faire cuire les crêpes dans un peu de beurre. Napper de sirop d'érable.

Omelette très fromagée

Pour les petits qui ont la dent salée. Une omelette coulante qui va les faire saliver...

⅓ tasse	**fromage cheddar mi-fort**	80 g
⅓ tasse	**fromage gouda**	80 g
⅓ tasse	**fromage oka**, sans la croûte	80 g
6	**œufs**	6
½ tasse	**lait**	125 ml
2 c. à soupe	**huile d'olive**	30 ml
⅓ tasse	**oignon**, haché	80 g
1	**gousse d'ail**, émincée	1

Couper les fromages en petits dés.

Dans un bol, battre les œufs avec le lait et la moitié du fromage.

Dans une poêle, à feu moyen, faire revenir l'oignon et l'ail dans l'huile 3 minutes.

Ajouter les œufs et cuire l'omelette à feu moyen.

Une fois la cuisson presque complétée, ajouter le reste du fromage et replier l'omelette en deux. Laisser fondre et servir.

Gruau à la banane

½ tasse	pacanes	113 g
2 c. à thé	beurre ou margarine	10 g
1 pincée	sel	1
2	petites bananes	2
1½ tasse	lait	375 ml
1½ tasse	gruau à cuisson rapide	135 g
⅓ tasse	yogourt nature	80 ml
3 c. à soupe	sirop d'érable	45 ml

Concasser les pacanes à l'aide d'un pilon ou les hacher très finement.

Dans un petit chaudron, à feu moyen, laisser fondre le beurre avec le sel. Ajouter les pacanes et poursuivre la cuisson quelques minutes.

Ajouter les bananes et écraser à la fourchette.

Ajouter le lait et bien mélanger.

Incorporer le gruau, le yogourt et le sirop d'érable.

Poursuivre la cuisson 2 minutes.

Variante choco-banane

2 tasses	lait	500 ml
1 tasse	gruau à cuisson rapide	90 g
1	banane, écrasée	1
2 c. à soupe	cacao	30 g

Dans un petit chaudron, à feu moyen, chauffer le lait. Ajouter le reste des ingrédients.

Cuire quelques minutes et servir.

Crème de riz magique

À quand la crème de riz accessible dans tous les supermarchés ??? C'est un aliment fantastique que les enfants adorent au déjeuner. Pour l'instant, il est plus facile à trouver dans les magasins d'aliments naturels. Faites vos réserves. Pour un matin réconfortant...

1 tasse	**crème de riz**	250 ml
½ tasse	**noix de coco** sucrée	113 g
½ tasse	**noix de Grenoble**, moulues	60 g
2½ tasses	**lait**	625 ml

Déposer tous les ingrédients dans un petit chaudron.

Chauffer le mélange à feu moyen. Remuer régulièrement.

Temps de cuisson : 10 à 12 minutes.

Gruau poire et pacanes

Quand j'étais petite, le seul endroit où je voyais des pacanes était sur le dessus d'une tarte aux pacanes. Les temps ont bien changé... Quelle noix au goût subtil !!!

½ tasse	**pacanes**, grillées	113 g
2 tasses	**lait**	500 ml
1 tasse	**gruau** à cuisson rapide	90 g
1	**poire** bien mûre, coupée en petits dés	1
½ c. à thé	**cannelle**	2,5 g
1 c. à soupe	**sucre**	12,5 g

Dans une petite poêle, à sec, faire griller les pacanes. Concasser les pacanes à l'aide d'un pilon ou hacher très finement.

Dans un petit chaudron, à feu moyen, chauffer le lait. Ajouter le reste des ingrédients.

Cuire quelques minutes et servir.

Variante à la Budwig

Les dattes fraîches que j'utilise s'achètent en boîte, souvent en provenance d'Iran. Elles gardent leur humidité dans un petit sac de plastique.

5	**dattes** fraîches, pelées et dénoyautées	5
¼ tasse	**gruau** à cuisson rapide	22 g
¼ tasse	**graines de tournesol**, moulues	30 g
¼ tasse	**graines de lin**, moulues	30 g
¼ tasse	**yogourt à la vanille**	60 ml
1	**banane**, écrasée	1
	jus d'un citron	

Faire chauffer les dattes une quinzaine de secondes au micro-ondes. Elles vont se peler facilement. Dénoyauter et déposer dans un bol.

Ajouter le reste des ingrédients et bien mélanger. Manger froid.

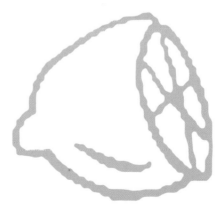

Gaufres aux raisins

Acheter un gaufrier est un investissement que vous ne regretterez jamais. Les enfants adorent se faire servir des gaufres. Choisissez-en un de qualité. Vous aurez une nouvelle avenue pour le petit déjeuner. Selon le type de gaufrier, cette recette donne entre 8 et 16 gaufres.

¾ tasse	lait	180 ml
¾ tasse	jus de raisin	180 ml
1	œuf	1
2 c. à soupe	huile végétale	30 ml
1½ tasse	farine de blé entier	225 g
2 c. à thé	levure chimique	10 g
1 pincée	sel	1 pincée
⅓ tasse	raisins secs	80 g

Dans un bol, mélanger le lait, le jus de raisin, l'œuf et l'huile végétale.

Ajouter graduellement la farine, la levure chimique, le sel et les raisins secs. Remuer jusqu'à l'obtention d'une texture lisse.

Badigeonner le gaufrier de beurre fondu ou d'huile. Faire cuire les gaufres jusqu'à la cuisson désirée. Servir avec du yogourt ou du sirop d'érable.

Gaufres aux pommes

Selon le type de gaufrier, cette recette donne entre 8 et 16 gaufres.

1	œuf	1
1½ tasse	lait	375 ml
2 c. à soupe	huile végétale	30 ml
1½ tasse	farine de blé entier	225 g
2 c. à thé	levure chimique	10 g
½ c. à thé	cannelle	2,5 g
1 pincée	sel	1 pincée
1 tasse	pommes, râpées	225 g
½ tasse	amandes, tranchées	75 g

Dans un bol, mélanger l'œuf, le lait et l'huile végétale.

Ajouter graduellement la farine, la levure chimique, la cannelle et le sel. Remuer jusqu'à l'obtention d'une texture lisse.

Incorporer les pommes et les amandes.

Badigeonner le gaufrier de beurre fondu ou d'huile. Faire cuire les gaufres jusqu'à la cuisson désirée. Servir avec du yogourt au choix et quelques quartiers de pomme.

Muesli Express

Des idées pour remplacer les céréales du commerce souvent très sucrées et remplies d'ingrédients... inutiles.

1 tasse	**flocons d'avoine**, non cuits	90 g		½ tasse	**raisins secs**	113 g
½ tasse	**amandes**, tranchées	75 g		½ tasse	**yogourt nature**	125 ml
½ tasse	**graines de tournesol**	113 g		¼ tasse	**miel**	60 ml
½ tasse	**noix de coco** sucrée	113 g		1 c. à soupe	**huile d'olive**	15 ml

Préchauffer le four à 190 °C (375 °F).

Déposer l'avoine, les amandes et les graines de tournesol sur une plaque à cuisson. Cuire au four une dizaine de minutes, ou jusqu'à ce que les amandes commencent à dorer.

Ajouter la noix de coco et les raisins secs. Poursuivre la cuisson 5 minutes.

Déposer le mélange dans un bol et ajouter le yogourt, le miel et l'huile d'olive.

Garnir le bol de chacun des enfants et ajouter du lait au goût.

Encore Muesli Express

Quand on parle de flocons d'avoine, ce n'est pas de gruau instantané dont il s'agit, mais de flocons d'avoine non cuits.

¼ tasse	**miel**	60 ml		½ tasse	**pacanes**, hachées	75 g
1 c. à soupe	**huile végétale**	15 ml		¼ tasse	**graines de sésame**	55 g
1½ tasse	**flocons d'avoine**	135 g		1 tasse	**dattes** séchées, coupées en dés	225 g
½ tasse	**graines de tournesol**	113 g		½ tasse	**canneberges** séchées	113 g

Préchauffer le four à 190 °C (375 °F).

Faire chauffer le miel et l'huile végétale 1 minute au micro-ondes.

Déposer les flocons d'avoine, les graines de tournesol, les pacanes et les graines de sésame sur une plaque à cuisson. Verser le miel et bien mélanger. Cuire au four 10 à 12 minutes.

Ajouter les dattes et les canneberges. Poursuivre la cuisson 5 minutes.

Bien remuer et déguster.

J'ai
faiiiim...

Un enfant qui a faim, c'est un enfant qui a faim... MAINTENANT ! Quand ça presse, ça presse... Une petite bouchée alors ? On veut boucher un trou sans couper l'appétit. On a besoin d'idées de collation. On ose des légumes, des trempettes, des biscottes, du pain et des protéines. « FULL » protéines, comme on dit !!!

Trempette chiche

1 boîte	**pois chiches**	(540 g/19 oz)
¼ tasse	**tahini**	60 ml
¼ tasse	**yogourt nature**	60 ml
¼ tasse	**oignon**, haché	55 g
1	**gousse d'ail**	1
1 c. à soupe	**pesto**	15 ml
3 c. à soupe	**jus de lime**	45 ml
3 c. à soupe	**eau**	45 ml
1 c. à thé	**miel**	5 ml

Rincer et égoutter les pois chiches.

Déposer les pois chiches dans un robot culinaire.

Ajouter les autres ingrédients. Broyer jusqu'à l'obtention d'une trempette crémeuse.

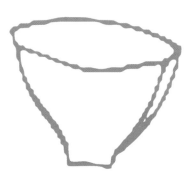

Trempette aux légumineuses

1 boîte	**légumineuses** mélangées	540 g/19 oz
¼ tasse	**tahini**	60 ml
¼ tasse	**yogourt nature**	60 ml
¼ tasse	**jus de citron** pressé	60 ml
¼ tasse	**oignon**, haché	55 g
	sel et **poivre** au goût	

Rincer et égoutter les légumineuses. Déposer les légumineuses dans un robot culinaire. Ajouter les autres ingrédients. Broyer jusqu'à l'obtention d'une trempette crémeuse.

Trempette aux artichauts

J'utilise des fonds d'artichauts pour réaliser cette recette. Ils sont plus tendres que les cœurs d'artichauts. Si vous n'arrivez pas à en trouver, utilisez une boîte de cœurs d'artichauts.

1 bocal	**fonds d'artichauts**	460 g/16 oz
1 tasse	**fromage cottage**	100 g
¼ tasse	**noix de Grenoble**	55 g
1 c. à soupe	**moutarde de Dijon**	15 ml
1	**gousse d'ail**	1
1	**oignon vert**, émincé	1
¼ tasse	**parmesan** frais, râpé	55 g

Préchauffer le four à 190 °C (375 °F).

Égoutter les artichauts. Déposer dans un robot culinaire. Ajouter le fromage cottage, les noix de Grenoble, la moutarde de Dijon et l'ail. Réduire en purée et déposer dans un petit plat allant au four.

Ajouter l'oignon vert et bien mélanger. Garnir de parmesan frais râpé.

Cuire au four 10 minutes.

Trempette cottage

¾ tasse	**fromage cottage**	75 g
⅓ de paquet	**tofu** ferme	100 g/3,5 oz
1	**carotte**	1
1	**oignon vert**, émincé	1
3 c. à soupe	**sauce chili**	45 ml
¼ c. à thé	**sauce Worcestershire**	1 ml

Dans un robot culinaire, réduire le fromage cottage, le tofu et la carotte en purée. Déposer dans un bol et ajouter le reste des ingrédients. Assaisonner au goût.

Tortillas au fromage

Une collation rapide pour un succès assuré !

1½ tasse	**fromage cheddar**, râpé	150 g
3	grandes **tortillas**	3
½ c. à thé	**curcuma**	2,5 g

Préchauffer le four à 190 °C (375 °F).

Parsemer le fromage râpé sur les tortillas. Saupoudrer le curcuma.

Cuire au four 10 minutes.

Pain aux poireaux

1 c. à soupe	**huile d'olive**	15 ml
1	**gousse d'ail**, émincée	1
1 tasse	**poireau**, émincé	225 g
1 c. à soupe	**yogourt nature**	15 ml
1 tasse	**fromage cheddar fort**, râpé	100 g
1 pincée	**thym**, séché	1 pincée
	sel et **poivre** au goût	
12 tranches	**pain baguette**	12 tranches

Préchauffer le four à 190 °C (375 °F).

Dans une poêle, à feu moyen-vif, faire revenir l'ail et le poireau dans l'huile 3 minutes. Déposer dans un bol.

Ajouter le yogourt, le fromage râpé et le thym. Assaisonner au goût.

Déposer le mélange sur les tranches de pain.

Cuire au four 15 minutes.

Pain au thon

15 tranches	**pain baguette**	15 tranches
1 boîte	**thon**, égoutté	133 g/170 oz
¼ tasse	**sauce tomate**	60 ml
¼ tasse	**carotte**, cuite	50 g
¼ tasse	**fromage cheddar**, râpé	25 g
1	**oignon vert**, émincé	1
2 c. à soupe	**chou-fleur mariné**, haché	30 g
2 c. à soupe	**yogourt nature**	30 ml
	sel et **poivre** au goût	

Faire griller les tranches de pain baguette au grille-pain. Déposer dans une assiette.

Dans un bol, émietter le thon. Ajouter la sauce tomate, la carotte, le fromage, l'oignon vert, le chou-fleur et le yogourt. Mélanger délicatement et assaisonner au goût.

Déposer le mélange sur les tranches de pain. Servir.

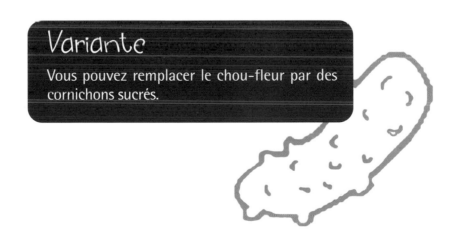

Variante

Vous pouvez remplacer le chou-fleur par des cornichons sucrés.

Pain aux ti-pois

1 c. à thé	**huile d'olive**	5 ml
¼ tasse	**oignon**, haché finement	55 g
¼ tasse	**pois verts** surgelés	55 g
¼ tasse	**fromage à la crème**	55 g
15 tranches	**pain baguette**	15
1 tasse	**fromage cheddar**, râpé	100 g

Dans une petite poêle, à feu moyen, faire revenir l'oignon dans l'huile 2 minutes. Ajouter les pois verts et poursuivre la cuisson 3 minutes.

Ajouter le fromage à la crème et laisser fondre. Bien mélanger.

Déposer le mélange sur les tranches de pain baguette. Ajouter le fromage cheddar.

Faire dorer sous le gril.

Pain accordéon

Aussitôt déposé sur la table, aussitôt disparu ! Les enfants raffolent de cette recette.

½	baguette de pain	½
2 c. à soupe	pesto	30 ml
½ tasse	fromage cheddar fort, râpé	50 g

Préchauffer le four à 180 °C (350 °F).

Faire des entailles dans le pain baguette. (Il faut faire des entailles comme si vous alliez faire des tranches, mais vous arrêter de couper à la dernière minute.)

Étendre le pesto et parsemer le fromage cheddar dans les entailles.

Envelopper le pain dans du papier d'aluminium. Chauffer au four une quinzaine de minutes.

Les variantes à cette recette
sont multiples :

olives, tomates, basilic, bocconcini, tapenade,
saucisson et feta émiettée.

Bouchées de tofu

De façon générale, les enfants aiment bien le tofu, particulièrement quand il est assaisonné à la sauce soya.

1 bloc	**tofu**	454 g/16 oz
2 c. à soupe	**sauce soya**	30 ml
1 c. à soupe	**huile d'olive**	15 ml
1 filet	**huile de sésame grillé**	1 filet
1 c. à thé	**vinaigre balsamique**	5 ml
2 c. à thé	**miel**	10 ml
1	**gousse d'ail**, émincée	1
½ c. à thé	**gingembre**, moulu	2,5 g
½ c. à thé	**coriandre**, moulue	2,5 g

Couper le tofu en dés.

Déposer le tofu dans un bol avec le reste des ingrédients.

Laisser mariner le plus longtemps possible, au moins une demi-heure.

Chauffer une grande poêle à feu vif. Faire revenir le tofu environ 7 minutes, ou jusqu'à ce que le tofu soit doré de tous les côtés. Remuer régulièrement.

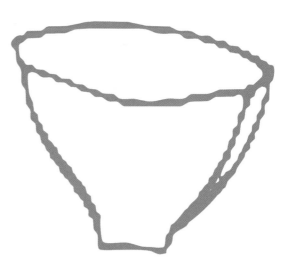

Nachos

8 tasses	**nachos**	175 g		1 boîte	**haricots noirs**, égouttés	540 g/19 oz
2 c. à soupe	**huile d'olive**	30 ml		1½ tasse	**sauce tomate**	375 ml
1	**gousse d'ail**, émincée	1		2 tasses	**fromage cheddar** mi-fort, râpé	200 g

Préchauffer le four à 190 °C (375 °F).

Déposer les nachos dans un grand bol allant au four.

Dans une poêle, faire revenir l'ail dans l'huile d'olive 1 à 2 minutes. Ajouter la moitié des haricots noirs et écraser à la fourchette. Poursuivre la cuisson 2 minutes.

Incorporer le reste des haricots noirs et la sauce tomate. Poursuivre la cuisson 2 minutes et déposer sur les nachos. Ajouter le fromage.

Cuire au four 10 minutes. Terminer la cuisson sous le gril pour faire dorer le fromage.

Servir avec de la salsa, de la crème sure et du guacamole.

Guacamole

1	**avocat**, bien mûr	1
1	**gousse d'ail**	1
2 c. à soupe	**jus de lime** frais	30 ml
1 c. à soupe	**huile d'olive**	15 ml

Mélanger tous les ingrédients dans un robot culinaire, jusqu'à l'obtention d'une purée lisse.

Salsa au maïs

½ tasse	**maïs**	113 g
1½ tasse	**tomates**, coupées en dés	340 g
¼ tasse	**oignon vert**, émincé	55 g
¼ tasse	**coriandre** fraîche, hachée	55 g
2 c. à thé	**huile d'olive**	10 ml
2 c. à thé	**jus de citron** frais	10 ml
	sel et **poivre** au goût	

Mélanger tous les ingrédients ensemble. Laisser les saveurs se marier au moins 30 minutes avant de servir.

Amandes grillées

Cette recette est TELLEMENT délicieuse... et facile !

2 tasses	amandes	454 g
½ tasse	huile de canola	125 ml
	sel au goût	

Plonger les amandes 2 minutes dans un chaudron d'eau bouillante. Égoutter.

Peler les amandes. (Vous allez voir que la pelure des amandes va décoller très facilement.) Bien assécher les amandes.

Dans une poêle de grandeur moyenne, faire chauffer l'huile à feu vif.

Déposer les amandes et réduire le feu légèrement. Laisser dorer les amandes, mais pas trop parce qu'elles vont continuer à griller une fois sorties du feu. Déposer les amandes sur du papier absorbant et saler au goût.

Laisser refroidir et déguster. Savoureux !!!

Petit truc :
Récupérer votre huile de cuisson pour un usage ultérieur.

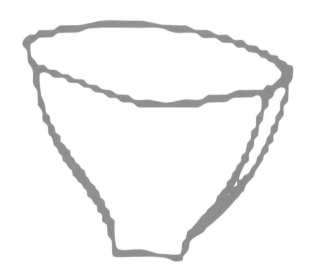

Pois chiches grillés

1 boîte	pois chiches	540 g/19 oz
1 c. à soupe	huile d'olive	15 ml
1 c. à thé	paprika	5 g
1 c. à thé	curcuma	5 g
	sel au goût	

Préchauffer le four à 190 °C (375 °F).

Rincer et égoutter les pois chiches. Assécher les pois chiches avec un linge propre.

Déposer dans un bol avec l'huile, le paprika et le curcuma. Bien mélanger. Saler au goût. On peut aussi y ajouter un peu de poudre de chili.

Déposer sur une plaque à cuisson.

Cuire au four entre 50 minutes et 1 heure, ou jusqu'à ce que les pois chiches soient croquants.

Mélange énergie

½ tasse	amandes au tamari	113 g
½ tasse	noix de coco sucrée	113 g
½ tasse	raisins secs	113 g
⅓ tasse	pacanes	80 g
⅓ tasse	noix de Grenoble	80 g

Dans un bol, mélanger tous les ingrédients ensemble.

Vite, vite, vite...

Pas le temps de souffler ? Pas le temps de cuisiner ? Que quelques minutes pour laver, couper, cuire, apprêter, servir et engloutir ? C'est un peu le portrait de toutes les familles prises dans le tourbillon de la vie. Vite, vite, vite... On veut des idées faciles. On veut des idées rapides. On veut manger sur le pouce. Sandwichs et salades... à la rescousse !

« Grilled cheese » patate

Pour 4 sandwichs. Le mélange patate et fromage est à tomber par terre. Si vous n'avez pas de poireau, vous pouvez le remplacer par un peu d'oignon doux. Vive le « grilled cheese » !!!

1 tasse	**pomme de terre nouvelle**	225 g
1 tasse	**patate douce**	225 g
8 tranches	**pain de blé entier**	8 tranches
	mayonnaise au goût	
½ tasse	**blanc de poireau**, émincé	113 g
2 tasses	**cheddar mi-fort**, râpé	200 g

Couper la pomme de terre et la patate douce en tranches minces. Déposer sur une plaque à cuisson huilée et cuire une trentaine de minutes à 190 °C (375 °F). Retourner à la mi-cuisson.

Garnir chacun des sandwichs de mayonnaise, de pomme de terre et patate douce, de poireau et de fromage.

Faire griller les sandwichs dans une poêle ou dans un four à panini. Couper les sandwichs en deux et servir.

« Grilled cheese » au chèvre

Le «grilled cheese» est né dans les années 1920 avec une seule tranche de pain. La deuxième s'est rajoutée un peu plus tard... avec mille et une déclinaisons depuis. Quelle invention fantastique! Pour 4 sandwichs.

½ tasse	**fromage de chèvre** crémeux aux herbes	113 g
4 grandes tranches	**pain de campagne**	4 grandes tranches
½	**tomate**, tranchée	½
5	**feuilles de basilic** frais, hachées	5
½ tasse	**fromage feta**, émietté	113 g

Étendre le fromage de chèvre sur deux des tranches de pain de campagne. Ajouter les tranches de tomate, le basilic et le fromage feta. Recouvrir des deux autres tranches de pain.

Faire griller les sandwichs dans une poêle ou dans un four à panini. Couper les sandwichs en deux et servir.

Salade César

Il faut rendre à César ce qui appartient à César. Jules n'a peut-être rien à y voir, mais disons que cette salade est une grande réussite.

1	grosse **laitue romaine**	1	2 c. à soupe	**jus de citron**	30 ml
1 tasse	**parmesan** frais, râpé	100 g	1	**gousse d'ail**, pressée	1
4 tasses	**croûtons de pain**	500 g	¼ tasse	**huile d'olive**	60 ml
1	**jaune d'œuf**	1		**sel** et **poivre** au goût	
1 c. à soupe	**moutarde de Dijon**	15 ml			

Hacher la laitue romaine. Compter environ 16 tasses de laitue pour réaliser cette recette. Déposer dans un grand bol à salade avec le parmesan et les croûtons de pain.

Dans un petit bol, déposer le jaune d'œuf, la moutarde de Dijon, le jus de citron et l'ail. Remuer vigoureusement à l'aide d'un petit fouet. Ajouter graduellement l'huile d'olive jusqu'à l'obtention d'une texture crémeuse. (Vous pouvez aussi faire la vinaigrette au robot culinaire.)

Ajouter la vinaigrette à la salade et servir immédiatement.

Croûtons de pain

Si facile à faire et tellement meilleur que les croûtons achetés à l'épicerie. J'aime utiliser un pain de qualité pour réaliser cette recette de croûtons : pain au levain, pain aux noix, pain de blé entier...

4 tasses	**pain**, coupé en dés	500 g
4 c. à thé	**huile d'olive**	20 ml
1 c. à thé	**herbes de Provence**	5 g
	sel au goût	

Préchauffer le four à 190 °C (375 °F).

Déposer le pain sur une plaque à cuisson. Ajouter l'huile, les herbes et le sel.

Cuire au four une quinzaine de minutes, ou jusqu'à ce que les croûtons soient bien croustillants.

Salade russe

Il y a habituellement beaucoup de mayonnaise dans la salade russe. Traditionnellement, la sauce était uniquement constituée d'huile, de vinaigre et de moutarde. Voici ma version... quelque part entre les deux.

	Salade	
4 tasses	**pommes de terre**, cuites	900 g
1 boîte	**thon**, égoutté	133 g/4,7 oz
2	**œufs**, cuits dur	2
1 tasse	**haricots verts**, cuits	225 g
½ tasse	**carotte**, cuite et coupée en dés	113 g
½ tasse	**pois verts**	113 g
¼ tasse	**oignon**, haché	55 g
2 c. à soupe	**olives vertes**, hachées	30 g
3	**cornichons sucrés**, hachés	3
	Sauce	
1 c. à soupe	**jus de cornichon**	15 ml
2 c. à soupe	**vinaigre de cidre**	30 ml
1 c. à soupe	**crème sure**	15 ml
1 c. à soupe	**mayonnaise**	15 ml
1 c. à soupe	**moutarde de Dijon**	15 ml

Couper les pommes de terre en dés et les déposer dans un bol à salade. Idéalement, cuire les pommes de terre la veille.

Ajouter le thon émietté, les œufs coupés en morceaux, les légumes, les olives et les cornichons. (Si vous utilisez des pois en boîte, attendez à la toute fin pour les ajouter à la salade pour ne pas les écraser.)

Incorporer les ingrédients de la sauce. Bien mélanger. Assaisonner au goût.

Salade d'orzo

L'orzo est une petite pâte qui ressemble beaucoup à un grain de riz. L'orzo est excellent dans les soupes, mais aussi en salade.

1½ tasse	**orzo**	285 g
1 boîte	**thon**, égoutté	133 g/4,7 oz
1 tasse	**fromage feta**, émietté	100 g
1 tasse	**tomates**, coupées en dés	225 g
1	**concombre libanais**, coupé en dés	1
¼ tasse	**olives** au choix, hachées	55 g
¼ tasse	**oignon**, haché finement	55 g
⅓ tasse	**persil** frais, haché	80 g
¼ tasse	**jus d'orange**	60 ml
2 c. à soupe	**huile d'olive**	30 ml
2 c. à soupe	**vinaigre de cidre**	30 ml
	sel et **poivre** au goût	

Dans un chaudron, faire cuire l'orzo dans une bonne quantité d'eau bouillante environ 7 minutes. Rincer et égoutter.

Dans un bol, déposer l'orzo et le reste des ingrédients. Bien mélanger.

Assaisonner au goût.

Quesadillas «bien remplis»

J'ai remarqué que les enfants aiment surtout le poivron rouge quand il est juteux et croquant. J'aime bien le laisser cru dans cette recette.

¼ tasse	**fromage à la crème**	55 g
2	grandes **tortillas**	2
1 tasse	**brocoli**, cuit	225 g
¼ tasse	**carotte**, cuite	55 g
¼ tasse	**poivron rouge**, coupé en dés	55 g
¾ tasse	**fromage mozzarella**, râpé	75 g
¾ tasse	**fromage cheddar**, râpé	75 g
1 c. à thé	**huile d'olive**	5 ml

Étendre le fromage à la crème sur les tortillas.

Ajouter le brocoli, la carotte, le poivron, la mozzarella et le cheddar sur la moitié des tortillas. Replier les tortillas.

Faire chauffer l'huile dans une grande poêle à feu moyen. Faire griller les tortillas jusqu'à ce que le fromage soit bien fondu.

Croque vert

Une recette colorée... bonne à croquer !!!

1 c. à soupe	**beurre** ou **margarine**	15 g
½ tasse	**poireau**, haché	113 g
½ tasse	**courgette** pelée, coupée en dés	113 g
½ bloc	**tofu**, coupé en tranches	150 g/5,3 oz
4 tranches	**pain de campagne**	4 tranches
2 c. à thé	**sauce soya**	10 ml
¼ tasse	**pesto**	55 g
20	**haricots verts**, cuits	20
1 tasse	**cheddar fort**, râpé	100 g
⅓ tasse	**parmesan** frais, râpé	33 g

Préchauffer le four à 190 °C (375 °F).

Dans une poêle, à feu moyen-vif, faire revenir le poireau et la courgette 2 minutes dans le beurre. Réserver.

Déposer les tranches de tofu dans la même poêle avec la sauce soya. Laisser dorer le tofu des deux côtés.

Déposer les tranches de pain de campagne sur une plaque à cuisson. Étendre le pesto. Ajouter le tofu, le poireau et la courgette, les haricots et les fromages.

Cuire au four 15 minutes.

Croque rouge

1 c. à soupe	**huile d'olive**	15 ml		4 tranches	**pain de campagne**	4 tranches
¼ tasse	**oignon rouge**	55 g		½ tasse	**fromage de chèvre**	113 g
½ bloc	**tofu**, émietté	150 g/5,3 oz		1 tasse	**fromage cheddar fort**, râpé	100 g
½ tasse	**sauce tomate** du commerce	125 ml		½	**poivron rouge**, en lanières	½

Préchauffer le four à 190 °C (375 °F).

Dans une poêle, à feu moyen, faire revenir l'oignon dans l'huile d'olive 3 minutes.

Ajouter le tofu émietté et poursuivre la cuisson 2 minutes. Incorporer la sauce tomate et bien mélanger.

Déposer le mélange sur les tranches de pain. Ajouter le fromage de chèvre, le fromage cheddar et le poivron rouge.

Déposer sur une plaque à cuisson et cuire au four 15 minutes.

Salade de tofu

Une salade qui se mange tiède ou froide. Le jus de la tomate se marie à merveille avec la vinaigrette légère.

1 c. à soupe	**huile d'olive**	15 ml		2 tasses	**chou-fleur**, cuit	454 g
½ tasse	**tofu ferme**, coupé en dés	225 g		2 tasses	**brocoli**, cuit	454 g
1 c. à soupe	**sauce soja**	15 ml		1 c. à soupe	**mayonnaise**	15 ml
½ tasse	**tomate**, coupée en dés	113 g		2 c. à soupe	**vinaigre de cidre**	30 ml
½ tasse	**oignon doux**, coupé en dés	113 g			**sel** et **poivre** au goût	
1½ tasse	**haricots verts**, cuits	340 g				

Dans une poêle, à feu moyen-vif, faire revenir le tofu dans l'huile d'olive 2 à 3 minutes. Ajouter la sauce soja et laisser dorer le tofu. Remuer régulièrement pour que tous les côtés soient bien dorés. Réserver.

Dans un bol, déposer le tofu, les dés de tomate, l'oignon et les haricots. Ajouter le chou-fleur et le brocoli en petits bouquets.

Dans un petit bol, mélanger la mayonnaise et le vinaigre de cidre. Verser la vinaigrette sur la salade. Assaisonner au goût.

Panini 4 fromages

Un four à panini est un achat très pratique avec des enfants ! Vous allez le rentabiliser rapidement.

4	**pains à sous-marin**	400 g/14 oz)
2 tasses	**fromage mozzarella**, râpé	200 g
1 tasse	**fromage cheddar mi-fort**, râpé	100 g
½ tasse	**parmesan** frais, râpé	50 g
1 bûche	**fromage de chèvre** crémeux	100 g/3,5 oz
1	**tomate**, coupée en tranches minces	1
2	**oignons verts**, émincés	2

Couper les pains dans le sens de la longueur.

Déposer les 4 fromages dans les pains avec la tomate et les oignons verts. Bien refermer les pains.

Faire cuire au four à panini.

Si vous n'avez pas de four à panini, faites cuire les sandwichs dans une poêle en déposant un poids sur les pains de façon qu'ils soient bien écrasés.

Dans l'estomac

Qu'est-ce qu'on mange ce soir ? Sempiternelle question ! Jour après jour, on cuisine nos recettes faciles, on fait nos spécialités et on refait nos classiques. Si vous avez envie de nouvelles découvertes, vous êtes au bon endroit ! Je vous invite à partir à l'aventure avec moi pour changer quelques-unes de vos habitudes et surprendre vos enfants.

Tarte chiche

Les tartes aux légumineuses sont très appréciées. Voici une recette de tarte aux pois chiches à saveur indienne.

2 c. à soupe	**huile d'olive**	30 ml		1 c. à thé	**curcuma**	5 g
2	**gousses d'ail**, émincées	2		½ c. à thé	**cumin**	2,5 g
1	**oignon**, haché	1		½ c. à thé	**gingembre**, moulu	2,5 g
½ tasse	**courgette**, coupée en dés	113 g		1½ tasse	**chou-fleur**, cuit	340 g
1½ tasse	**pommes de terre**, cuites	340 g		2 tasses	**tomates**, coupées en dés	450 g
1 c. à thé	**coriandre**, moulue	5 g		1 boîte	**pois chiches**, rincés et égouttés	540 g/19 oz
1 c. à thé	**paprika**	5 g		2	**abaisses de tarte**	2

Préchauffer le four à 190 °C (375 °F).

Dans une poêle, à feu moyen-vif, faire revenir l'ail, l'oignon et la courgette dans l'huile d'olive 2 minutes.

Ajouter les pommes de terre coupées en dés et les épices. Bien remuer et poursuivre la cuisson 2 minutes.

Incorporer le chou-fleur, les tomates et les pois chiches. Poursuivre la cuisson 8 à 10 minutes.

Déposer le mélange dans une abaisse de tarte et recouvrir de l'autre abaisse. Cuire au four 30 minutes.

Servir avec un ketchup aux fruits.

Ketchup aux fruits

3	**tomates**	3		½ tasse	**vinaigre de cidre**	125 ml
2	**pêches**	2		1 c. à thé	**gros sel**	7 g
1	**pomme**, coupée en dés	1		1 c. à thé	**graines de moutarde**	5 g
1 tasse	**oignon rouge**, haché	225 g			quelques **grains de poivre**	
1 tasse	**poivron rouge**, coupé en dés	225 g				

Plonger les tomates et les pêches dans un chaudron d'eau bouillante 1 minute. Égoutter et laisser tiédir. Peler les tomates et les pêches avant de les couper en dés.

Déposer tous les ingrédients dans un chaudron. Cuire à découvert environ 45 minutes à feu moyen. Réfrigérer avant de servir.

Haricots crémeux

1 c. à soupe	**huile d'olive**	15 ml
1	**gousse d'ail**, émincée	1
1	**oignon**, haché	1
1 branche	**céleri**, coupé en dés	1 branche
1	**pomme de terre**, coupée en dés	1
1 tasse	**tomates**, coupées en dés	225 g
1 tasse	**eau**	250 ml
1 c. à soupe	**pâte de tomate**	15 ml
1 boîte	**haricots blancs**, rincés et égouttés	540 g/19 oz
½ tasse	**maïs** surgelé	113 g
¼ tasse	**fromage à la crème**	55 g
	sel et **poivre** au goût	

Dans un chaudron, à feu moyen, faire revenir l'ail, l'oignon et le céleri dans l'huile 2 minutes.

Ajouter la pomme de terre et poursuivre la cuisson 2 minutes.

Incorporer les dés de tomate, l'eau, la pâte de tomate, les haricots blancs et le maïs. Porter à ébullition. Couvrir, réduire le feu et laisser mijoter 20 à 30 minutes, selon la cuisson de la pomme de terre.

Incorporer le fromage à la crème et laisser fondre. Bien mélanger.

Assaisonner au goût.

Tofu Tao

Voici une recette vaguement inspirée du poulet à la Général Tao. Vous pourriez d'ailleurs cuisiner cette recette avec des poitrines de poulet.

1	**œuf**	1
2 c. à soupe	**huile d'olive**	30 ml
2 c. à soupe	**fécule de maïs**	15 g
2 c. à soupe	**farine**	20 g
1 bloc	**tofu**, coupé en dés	300 g/10,5 oz
1 c. à soupe	**huile de sésame grillé**	15 ml
1	**gousse d'ail**, émincée	1
2	**oignons verts**, émincés	2
1 tasse	**eau**	250 ml
1 c. à soupe	**vinaigre**	15 ml
1 c. à thé	**fécule de maïs**	3,5 g
2 c. à soupe	**sauce soya**	30 ml
⅓ tasse	**ketchup**	80 ml
1 c. à thé	**cassonade**	5 g

Dans un bol, mélanger l'œuf, l'huile d'olive, la fécule de maïs et la farine. Ajouter les dés de tofu et bien mélanger.

Chauffer une grande poêle à feu moyen-vif. Faire cuire le tofu en prenant soin de séparer délicatement les dés s'ils ont tendance à se coller les uns sur les autres. Poursuivre la cuisson jusqu'à ce que le tofu soit doré de tous les côtés. Réserver.

Dans la même poêle, à feu moyen, faire revenir l'ail et les oignons verts dans l'huile de sésame. Ajouter l'eau et le vinaigre. Poursuivre la cuisson 1 minute. Diluer la fécule de maïs dans la sauce soya avant de l'ajouter à la sauce. Incorporer le ketchup et la cassonade. Laisser épaissir la sauce 3 à 4 minutes.

Remettre le tofu dans la sauce et réchauffer.

Tarte en croûte de couscous

1 tasse	**couscous**	180 g
1 tasse	**bouillon de légumes**	250 ml
1 c. à thé	**huile d'olive**	5 ml
1	**œuf**	1
1 c. à soupe	**huile d'olive**	15 ml
2	**gousses d'ail**, émincées	2
½ tasse	**oignon**, haché	113 g
1 tasse	**courgette**, râpée	225 g
1 tasse	**carotte**, râpée	225 g
1	**pomme de terre**, râpée	1
1 tasse	**tomates** en boîte	225 g
1 tasse	**fromage râpé** au choix	100 g

Préchauffer le four à 190 °C (375 °F).

Dans un petit chaudron, plonger le couscous dans le bouillon de légumes avec 5 ml (1 c. à thé) d'huile d'olive. Couvrir et laisser gonfler 5 minutes.

Défaire le couscous à la fourchette. Ajouter l'œuf et bien mélanger. Couvrir le fond d'une assiette à tarte avec le couscous. Bien presser à l'aide d'une spatule.

Dans une poêle, à feu moyen, faire revenir l'ail et l'oignon dans 15 ml (1 c. à soupe) d'huile d'olive. Ajouter la courgette, la carotte et la pomme de terre. Poursuivre la cuisson 5 minutes. Incorporer les tomates et cuire 2 minutes.

Déposer le mélange sur le couscous. Ajouter le fromage râpé.

Cuire au four 25 minutes.

Risotto aux légumes

Pour réussir un risotto crémeux, il faut utiliser un riz qui est riche en amidon comme celui de type Arborio qu'on retrouve dans toutes les épiceries.

2 c. à soupe	**huile d'olive**	30 ml
2	**gousses d'ail**, émincées	2
1 tasse	**oignon**, haché	225 g
½ tasse	**courgette**, coupée en dés	113 g
½ tasse	**poivron rouge**, coupé en dés	113 g
½ tasse	**carotte**, coupée en dés	113 g
1½ tasse	**riz Arborio**	285 g
½ tasse	**vin blanc**	125 ml
4 tasses	**bouillon de légumes**	1 l
1 tasse	**parmesan** frais, haché	100 g
	sel et **poivre** au goût	

Dans une grande poêle, à feu moyen, faire revenir l'ail et l'oignon dans l'huile d'olive 2 minutes.

Ajouter la courgette, le poivron et la carotte. Poursuivre la cuisson 3 minutes.

Incorporer le riz et bien l'enrober à l'aide d'une cuillère de bois 1 à 2 minutes.

Verser le vin et laisser le riz l'absorber. (Le vin perd son alcool avec la cuisson.)

Verser le bouillon de légumes en petites quantités tout au cours de la cuisson du riz qui dure environ 20 minutes.

Ajouter à la toute fin le parmesan frais râpé et couvrir 1 à 2 minutes. (Vous pouvez aussi ajouter une noix de beurre.)

Servir aussitôt. Le risotto sera crémeux et légèrement croquant.

Quinoa aux saucisses

Bien rincer le quinoa avant de le cuisiner.

1½ tasse	**quinoa**	285 g
3 tasses	**eau**	750 ml
1 c. à soupe	**huile d'olive**	15 ml
2	**gousses d'ail**, émincées	2
1	**oignon**, haché	1
½	**poivron vert**, coupé en dés	½
½ tasse	**maïs** surgelé	113 g
1 tasse	**tomates** fraîches, coupées en dés	225 g
1 c. à thé	**paprika**	5 g
1 c. à thé	**curcuma**	5 g
½ lb	**saucisses de poulet**, cuites	225 g
1 tasse	**brocoli**, cuit	225 g
¼ tasse	**sauce soya**	60 ml
	sel et **poivre** au goût	

Dans un chaudron, déposer le quinoa et l'eau. Couvrir et cuire à feu moyen 15 minutes, ou jusqu'à ce que l'eau soit totalement absorbée.

Dans une grande poêle, à feu moyen, faire revenir l'ail, l'oignon et le poivron dans l'huile d'olive 2 minutes.

Ajouter le maïs, la tomate, le paprika et le curcuma. Poursuivre la cuisson 5 à 7 minutes. Incorporer le quinoa aux légumes. Ajouter les saucisses, le brocoli et la sauce soya. Bien mélanger.

Assaisonner au goût et servir.

Vite burger

Donne 6 à 8 croquettes.

½ bloc	**tofu** ferme	175 g/6 oz
¼ tasse	**houmous**	60 ml
1 tasse	**haricots rouges** en boîte, égouttés	225 g
½ tasse	**noix de Grenoble**	150 g
2 c. à soupe	**oignon**, haché	30 g
1	**gousse d'ail**	1
⅓ tasse	**carotte**, coupée en dés	80 g
2 c. à soupe	**sauce soya**	30 ml
⅔ tasse	**chapelure**	80 g
2 c. à soupe	**huile végétale**	30 ml

Réduire le tofu en miettes au robot culinaire.

Ajouter le reste des ingrédients, sauf la moitié de la chapelure et l'huile végétale. Broyer jusqu'à l'obtention d'une purée grossière.

Façonner des croquettes. Enrober les croquettes du reste de la chapelure.

Dans une poêle, à feu moyen-vif, faire dorer les croquettes dans l'huile végétale une dizaine de minutes.

Petit truc :

Je retourne les croquettes assez rapidement en début de cuisson pour bien répartir l'huile des deux côtés des croquettes.

Pain de quinoa

Le quinoa est une céréale riche en protéines. Il a un goût subtil et savoureux de noisette.

1 tasse	**quinoa**	180 g
2 tasses	**eau**	500 ml
1 c. à soupe	**pesto**	15 ml
2 c. à soupe	**huile d'olive**	30 ml
1	**gousse d'ail**, émincée	1
½	**oignon rouge**, haché	½
½ tasse	**courgette**, coupée en dés	113 g
½ tasse	**pomme de terre**, cuite	113 g
½ tasse	**courge**, cuite	113 g
½ tasse	**pois verts**	113 g
1 tasse	**tomates**, coupées en dés	225 g
1	**œuf**	1
1 tasse	**fromage cheddar**, râpé	100 g

Préchauffer le four à 180 °C (350 °F).

Rincer le quinoa à l'eau froide. Dans un chaudron, déposer le quinoa avec l'eau et le pesto. Cuire à couvert 15 minutes, ou jusqu'à ce que l'eau soit totalement absorbée.

Dans une poêle, à feu moyen, faire revenir l'ail et l'oignon dans l'huile d'olive 2 minutes. Ajouter la courgette, la pomme de terre et la courge coupées en dés, ainsi que les pois. Poursuivre la cuisson 2 à 3 minutes.

Incorporer la tomate et poursuivre la cuisson 5 minutes. Dans un bol, mélanger le quinoa, le mélange de légumes et l'œuf.

Déposer la moitié du mélange dans un moule à pain huilé. Ajouter la moitié du fromage, le reste du quinoa et le reste du fromage. Bien presser.

Cuire au four 30 minutes.

Laisser refroidir le pain pour le couper plus facilement.

Pizza à la pomme de terre

Pour le fromage de cette recette, utilisez du parmesan frais râpé ou un mélange italien de supermarché (mozzarella, provolone, asiago et parmesan).

2	**pommes de terre**	2
1	**gousse d'ail**, émincée	1
1 c. à soupe	**huile d'olive**	15 ml
½ tasse	**crème sure**	125 ml
3	grandes **tortillas**	3
¾ tasse	**parmesan** frais, râpé finement	75 g

Préchauffer le four à 190 °C (375 °F).

Couper les pommes de terre en tranches minces.

Badigeonner les pommes de terre d'huile d'olive. Déposer sur une plaque à cuisson et cuire au four jusqu'à ce qu'elles soient croustillantes. Retourner les pommes de terre au cours de la cuisson.

Dans une petite poêle, à feu moyen, faire revenir l'ail dans l'huile d'olive 2 à 3 minutes. Ajouter la crème sure, bien mélanger et retirer du feu.

Garnir les tortillas du mélange à la crème sure. Ajouter les pommes de terre et le fromage.

Cuire au four 10 à 12 minutes.

Pizza crémeuse

2 c. à soupe	**huile d'olive**	30 ml
1	**gousse d'ail**, émincée	1
½ tasse	**oignon**, haché	113 g
½ bloc	**tofu**, émietté	225 g/8 oz
¼ tasse	**crème de légumes** en sachet (type Knorr)	60 ml
1 tasse	**lait**	250 ml
4	**pains Naan**	4
2 tasses	**cheddar fort**, râpé	200 g

Préchauffer le four à 190 °C (375 °F).

Dans une grande poêle, à feu moyen, faire revenir l'ail et l'oignon dans l'huile 2 minutes.

Ajouter le tofu émietté et poursuivre la cuisson 2 minutes.

Dans un bol, déposer la crème de légumes et le lait. Cuire au micro-ondes 2 minutes. Ajouter au mélange de tofu.

Déposer sur les pains Naan et ajouter le fromage.

Cuire au four 20 minutes avec un petit coup sous le gril en fin de cuisson pour faire dorer le fromage.

Pizza tomate

Vous allez me dire que la pizza tomate est un grand classique. Oui, mais on va faire les choses un peu différemment. On va entre autres camoufler les légumes... sous la sauce.

4	grandes **tortillas**	4
1 c. à soupe	**huile d'olive**	15 ml
½ tasse	**poireau**, émincé	113 g
2 tasses	**champignons**	454 g
½	**poivron vert**	½
2 tasses	**sauce tomate**	500 ml
¼ tasse	**graines de tournesol**	55 g
3 tasses	**fromage cheddar** ou **mozzarella**, râpé	300 g

Préchauffer le four à 180 °C (350 °F).

Couper les champignons et le poivron vert à la mandoline de façon qu'ils soient très minces.

Dans une poêle, à feu moyen, faire revenir le poireau, les champignons et le poivron vert dans l'huile d'olive 5 à 7 minutes.

Déposer les légumes sur les tortillas. Ajouter la sauce tomate, les graines de tournesol et le fromage.

Cuire au four 20 minutes.

Grosses coquilles

20	**grosses coquilles** (pâtes)	20
2 c. à soupe	**beurre** ou **margarine**	30 g
⅓ tasse	**oignon**, haché	80 g
⅓ tasse	**courgette**, coupée en dés	80 g
1	**gousse d'ail**, émincée	1
2 c. à soupe	**farine**	20 g
2 tasses	**lait**	500 ml
1 c. à thé	**paprika**	5 g
1 tasse	**sauce tomate** au choix	250 ml
1 tasse	**fromage cottage**	100 g
½	**poivron rouge**	½
2 tasses	**cheddar fort**, râpé	200 g
2 c. à soupe	**chapelure**	30 g

Préchauffer le four à 180 °C (350 °F).

Faire cuire les grosses coquilles 10 minutes dans une bonne quantité d'eau bouillante. Rincer et réserver.

Dans une poêle, à feu moyen, faire revenir l'oignon, la courgette et l'ail dans le beurre 2 à 3 minutes. Ajouter la farine et bien mélanger. Incorporer graduellement le lait et laisser épaissir. Saupoudrer le paprika.

Ajouter la sauce tomate. Poursuivre la cuisson 2 minutes et réserver.

Pour la farce, réduire le fromage cottage et le poivron rouge en purée dans un robot culinaire. Déposer dans un bol, ajouter le fromage cheddar.

Garnir les coquilles de la farce. Déposer chacune des coquilles dans un plat rectangulaire allant au four. Verser la sauce et saupoudrer la chapelure.

Cuire au four 30 minutes.

Orge au poulet

L'orge est une céréale réconfortante. L'orge mondé a subi moins de transformations que l'orge perlé. Il est plus naturel et nutritif.

1 c. à soupe	**huile d'olive**	15 ml
1	**gousse d'ail**, émincée	1
1 tasse	**poireau**, émincé	225 g
½ lb	**poitrine de poulet**	225 g
1 c. à thé	**paprika**	5 g
1 c. à thé	**curcuma**	5 g
1 c. à thé	**gros sel**	5 g
¾ tasse	**orge mondé**	140 g
5 tasses	**bouillon de légumes**	1,25 l
1½ tasse	**patate douce**, coupée en dés	340 g

Dans un chaudron, à feu moyen, faire revenir l'ail et le poireau 1 minute dans l'huile d'olive.

Ajouter le poulet coupé en dés, le paprika, le curcuma et le sel. Poursuivre la cuisson 3 minutes en remuant sans arrêt.

Incorporer le reste des ingrédients. Porter à ébullition. Réduire le feu, couvrir et laisser mijoter environ 1 heure 15 minutes.

Rectifier l'assaisonnement.

Mini-brochettes poulet et tofu

Donne une vingtaine de mini-brochettes.

½ lb	**poitrine de poulet**, coupé en dés	225 g	1	**gousse d'ail**, émincée	1
½ bloc	**tofu**, coupé en dés	175 g/6 oz	¼ c. à thé	**gingembre**, moulu	1 g
2 c. à soupe	**sauce soya**	30 ml	¼ c. à thé	**cari**	1 g
1 c. à soupe	**miel**	15 ml	1 c. à soupe	**huile d'olive**	15 ml
2 c. à soupe	**graines de sésame**	30 g			

Dans un contenant hermétique, déposer le poulet, le tofu, la sauce soya, le miel, les graines de sésame, l'ail, le gingembre et le cari. Laisser mariner au moins 30 minutes en remuant de temps à autre.

Dans une poêle, à feu plutôt vif, faire dorer le poulet et le tofu de 5 à 7 minutes dans l'huile d'olive.

Utiliser des cure-dents pour faire des mini-brochettes. Planter un cube de tofu et un morceau de poulet par cure-dents.

Déposer sur une assiette de service. Accompagner de sauce aux arachides.

Sauce aux arachides

2 c. à soupe	**beurre d'arachide** crémeux	30 g
½ tasse	**bouillon de légumes**	125 ml
1 c. à soupe	**sauce soya**	15 ml
1 c. à thé	**vinaigre de riz**	5 ml
½	**gousse d'ail**, émincée	½
½ c. à thé	**sucre**	2,5 g
¼ c. à thé	**gingembre**, moulu	1 g
	sel et **poivre** au goût	

Dans un petit chaudron, déposer tous les ingrédients. Cuire à feu doux jusqu'à ce que le beurre d'arachide soit bien dissous. Assaisonner au goût et déposer dans un petit bol de service. La sauce va épaissir au moment de refroidir. Servir chaud ou froid.

Pois chiches et tofu en sauce

Utilisez un bouillon de qualité pour un maximum de bon goût ! Vous pouvez remplacer le tofu par la même quantité de viande de votre choix.

1	**oignon**, haché	1
½ tasse	**céleri**, coupé en dés	113 g
1 c. à soupe	**huile d'olive**	15 ml
1 c. à soupe	**pesto**	15 ml
1 tasse	**pois verts** surgelés	225 g
2 c. à soupe	**tomates séchées**	30 g
	dans l'huile, émincées	
1 bloc	**tofu**, coupé en dés	300 g/10,5 oz
1 boîte	**pois chiches**, égouttés	540 g/19 oz
3 tasses	**bouillon de poulet**	750 ml
2 tasses	**brocoli**, en bouquets	454 g
1 tasse	**pois mange-tout**, coupés en deux	225 g
½ tasse	**persil** frais, haché	113 g
2 c. à thé	**paprika**	10 g
1 c. à thé	**herbes de Provence**	5 g
	sel et **poivre** au goût	

Dans un chaudron, à feu moyen, faire revenir l'oignon et le céleri dans l'huile d'olive et le pesto. Laisser ramollir les légumes 2 à 3 minutes. Ajouter les pois, les tomates, le tofu et les pois chiches. Poursuivre la cuisson 2 à 3 minutes.

Incorporer le bouillon et le reste des ingrédients.

Couvrir et laisser mijoter jusqu'à ce que la cuisson des légumes soit à votre goût. Saler et poivrer au goût.

Petit truc :
Ajoutez du bouillon pour transformer ce plat en soupe.

Lentilles rouges

Les lentilles rouges ou corail sont très attirantes à cause de leur couleur. Elles sont aussi très attirantes pour leur richesse en protéines et en fer. Il est préférable de les rincer avant de les cuisiner.

1 c. à soupe	**huile d'olive**	15 ml
2	**gousses d'ail**, émincées	2
1	**oignon**, haché	1
1 tasse	**carottes**, coupées en dés	225 g
1 tasse	**lentilles rouges**, sèches	225 g
1 tasse	**tomates** fraîches, coupées en dés	225 g
1 tasse	**lait de coco**	250 ml
1½ tasse	**eau**	375 ml
½ bloc	**tofu**, coupé en dés	225 g/8 oz
1 c. à thé	**curcuma**	5 g
½ c. à thé	**poudre de cari**	2,5 g
½ c. à thé	**gingembre**, moulu	2,5 g
½ c. à thé	**cumin**, moulu	2,5 g

sel au **poivre** au goût

Dans un chaudron, à feu moyen, faire revenir l'ail et l'oignon dans l'huile 2 minutes.

Ajouter les carottes et poursuivre la cuisson 2 minutes. Incorporer le reste des ingrédients. Porter à ébullition, réduire le feu et couvrir. Laisser mijoter 25 à 30 minutes.

Assaisonner au goût. Si vous avez envie d'une texture plus liquide, ajoutez le reste de la boîte de lait de coco.

Sauce à spaghetti

Une sauce « full » légumes, comme disent les petits... Vive le spag !

2 c. à soupe	huile d'olive	30 ml
1	petit **oignon rouge**, haché	1
1 tasse	**poireau**, émincé	225 g
2	**gousses d'ail**, émincées	2
1 tasse	**carottes**, coupées en dés	225 g
1 tasse	**céleri**, coupé en dés	225 g
1 tasse	**courgette**, coupée en dés	225 g
1	**poivron rouge**, coupé en dés	1
2 boîtes	**tomates en dés**	2 x 765 g/27 oz
1 c. à soupe	**paprika**	15 g
2 c. à thé	**curcuma**	10 g
2 c. à thé	**coriandre**, moulue	10 g
½ c. à thé	**cumin**	2,5 g

sel au **poivre** au goût

Dans un chaudron, à feu moyen-vif, faire revenir l'oignon, le poireau et l'ail dans l'huile d'olive. Cuire environ 3 minutes.

Ajouter la carotte, le céleri, la courgette et le poivron rouge. Poursuivre la cuisson 5 minutes.

Incorporer les tomates et les épices. Couvrir et laisser mijoter au moins 30 minutes, ou le plus longtemps possible. Assaisonner au goût.

Mini-lasagne *aux 3 fromages*

J'aime bien l'idée de broyer ma recette de sauce à spaghetti pour rehausser le goût de cette mini-lasagne.
Donne 4 portions.

5	**pâtes à lasagne**	5
2 tasses	**sauce tomate**	500 ml
1 tasse	**fromage cheddar fort**, râpé	100 g
½ tasse	**fromage ricotta**	125 ml
¼ tasse	**parmesan** frais, râpé	25 g

Préchauffer le four à 180 °C (350 °F).

Faire cuire les pâtes à lasagne selon les indications du fabricant. Rincer et couper les pâtes selon le format de vos ramequins. Utiliser 4 ramequins de format moyen pour réaliser cette recette.

Déposer dans chacun des ramequins : 1 lasagne, 30 ml (2 c. à soupe) de sauce, 30 ml (2 c. à soupe) de fromage cheddar râpé.

Déposer par la suite : 1 lasagne, 30 ml (2 c. à soupe) de sauce et 30 ml (2 c. à soupe) de ricotta.

Ensuite : 1 lasagne, 30 ml (2 c. à soupe) de sauce et 15 ml (1 c. à soupe) de parmesan râpé.

Finalement : 1 lasagne, 30 ml (2 c. à soupe) de sauce et 30 ml (2 c. à soupe) de fromage cheddar râpé.

Cuire au four 30 minutes.

Les enfants adorent manger leur repas en portion individuelle.

Monticules de millet

Donne 8 à 10 monticules. Pour accompagner un plat de viande ou un plat en sauce.

½ tasse	**millet**	113 g
1 tasse	**eau**	250 ml
1 c. à soupe	**huile d'olive**	15 ml
2 c. à soupe	**sauce soya**	30 ml
1 c. à soupe	**oignon**, haché finement	15 g
1	**gousse d'ail**, émincée	1
¼ tasse	**noix de Grenoble**, hachées finement	40 g
⅓ tasse	**pois verts** surgelés	80 g
1	**œuf**	1
¾ tasse	**chapelure**	180 g

Préchauffer le four à 180 °C (350 °F).

Dans un petit chaudron, faire cuire le millet à couvert dans l'eau une vingtaine de minutes, ou jusqu'à ce que le liquide soit absorbé.

Déposer le millet dans un bol et ajouter le reste des ingrédients. Bien mélanger.

Utiliser un contenant équivalant à 60 ml (¼ tasse) pour façonner les monticules. Remplir le contenant du mélange, bien presser et démouler sur une plaque à cuisson légèrement huilée.

Cuire au four 25 minutes.

Roues au fromage

Mes enfants me réclament souvent des roues de tracteur !!!

1 lb	**pâtes en forme de roues**	450 g
2 c. à soupe	**beurre** ou **margarine**	30 g
2	**gousses d'ail**, émincées	2
½	**oignon**, haché	½
⅓ tasse	**céleri**, coupé en petits dés	80 g
⅓ tasse	**carotte**, coupée en petits dés	80 g
1 c. à soupe	**farine**	10 g
2 tasses	**lait**	500 ml
½ tasse	**sauce tomate**	125 ml
½ tasse	**tomates**, coupées en dés	113 g
2 tasses	**fromage cheddar mi-fort**, râpé	200 g
	sel et **poivre** au goût	

Faire cuire les pâtes selon les indications du fabricant. Rincer et réserver.

Dans une grande poêle, à feu moyen, faire revenir l'ail, l'oignon, le céleri et la carotte dans le beurre 5 minutes.

Saupoudrer la farine et bien mélanger. Incorporer graduellement le lait et laisser épaissir. Réduire à feu doux.

Incorporer la sauce tomate et la tomate. Laisser réchauffer.

Ajouter le fromage cheddar râpé. Laisser fondre. Choisir un fromage jaune de préférence.

Incorporer les pâtes. Réchauffer. Assaisonner au goût et servir.

Apprivoiser
la mer

Vivez l'aventure d'un beau voyage au fond des mers. Le beau Capitaine Poisson va tenter de convaincre vos enfants d'apprivoiser son goût, son odeur et sa texture. Pour lui donner un coup de pouce, des petits moussaillons très motivés ont déniché quelques bonnes recettes de poisson et de fruits de mer. 1 2 3 GO !!! On est capable !!!

Béchamel au thon

Cette recette est remplie de souvenirs d'enfance. La cuisine réconfort ne date pas d'hier.

2 c. à soupe	**beurre** ou **margarine**	30 g
2 c. à soupe	**farine**	20 g
1½ tasse	**lait**	375 ml
½ c. à thé	**cari**	2,5 g
	sel et **poivre** au goût	
2 tasses	**pommes de terre grelot**, cuites	454 g
1½ tasse	**brocoli**, cuit	340 g
1½ tasse	**chou-fleur**, cuit	340 g
1 tasse	**haricots verts**, cuits	225 g
1 boîte	**thon**, égoutté	120 g/4,2 oz

Pour la béchamel, faire fondre le beurre avec la farine 30 secondes au micro-ondes. Ajouter le lait. Chauffer 7 à 8 minutes jusqu'à l'obtention d'une béchamel, en remuant toutes les 2 minutes. Ajouter le cari et assaisonner au goût.

Dans un plat rectangulaire, déposer les pommes de terre coupées en quartiers, le brocoli, le chou-fleur, les haricots verts et le thon.

Verser la béchamel, réchauffer et servir.

Variante :

Pour une version gratinée, ajouter 2 tasses (200 g) de cheddar moyen râpé. Faire dorer le fromage sous le gril.

Quiche au crabe

1 c. à soupe	**huile d'olive**	15 ml
½ tasse	**oignon**, haché	113 g
½ tasse	**tomate**, coupée en dés	113 g
1 tasse	**courgette**, râpée	225 g
4	**œufs**	4
1 boîte	**crabe**, égoutté	120 g/4,2 oz
½ tasse	**fromage feta**, émietté	50 g
⅓ tasse	**crème 15 %** ou **lait**	80 ml
1	**abaisse de tarte**	1
¾ tasse	**fromage cheddar** ou **mozzarella**, râpé	75 g

Préchauffer le four à 180 °C (350 °F).

Dans une poêle, à feu moyen-vif, faire revenir l'oignon, la tomate et la courgette dans l'huile d'olive 5 minutes, ou jusqu'à ce que le liquide soit évaporé.

Dans un bol, battre les œufs. Ajouter le crabe, la feta, la crème et les légumes.

Verser le mélange dans l'abaisse de tarte. Ajouter le fromage râpé.

Cuire au four 40 minutes.

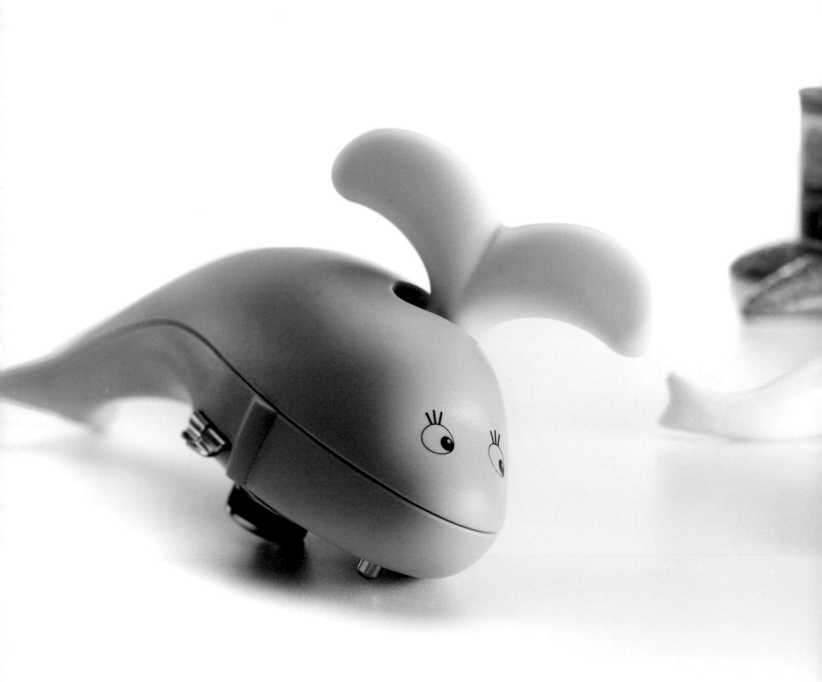

Pâtes au thon

¾ lb	**penne**	375 g
1 c. à soupe	**huile d'olive**	15 ml
1	**oignon**, haché	1
1	**gousse d'ail**, émincée	1
⅓ tasse	**céleri**, coupé en dés	80 g
⅓ tasse	**poivron vert**, coupé en dés	80 g
1 boîte	**tomates en dés**	(765 g/27 oz)
1 tasse	**haricots blancs** en boîte, égouttés	225 g
1 boîte	**thon**, égoutté	(133 g/4,7 oz)
¼ tasse	**olives vertes**, hachées	55 g
	sel et **poivre** au goût	

Faire cuire les pâtes selon les indications du fabricant.

Dans un chaudron, à feu moyen, faire revenir l'oignon, l'ail, le céleri et le poivron 5 minutes dans l'huile d'olive.

Ajouter les tomates, les haricots blancs, le thon et les olives. Porter à ébullition, couvrir et laisser mijoter au moins 20 minutes.

Servir sur les pâtes.

Moules aux tomates

Je sais... Les moules ne sont pas très attrayantes pour les petits. Je vous propose cette recette dont la sauce est vraiment très bonne. Les enfants peuvent commencer par ne manger que la sauce, peuvent ensuite utiliser les coquilles des moules comme une cuillère, peuvent aussi tremper du pain dans la sauce pour éventuellement... avoir envie d'attaquer la moule si savoureuse.

2 lb	**moules** fraîches	900 g
1 c. à soupe	**huile**	15 ml
1 c. à soupe	**beurre** ou **margarine**	15 g
2	**gousses d'ail**, émincées	2
½ tasse	**poireau**, haché	113 g
1 tasse	**vin blanc**	250 ml
2 tasses	**tomates** fraîches, coupées en dés	454 g
½ tasse	**herbes fraîches**	113 g
	sel et **poivre** au goût	

Dans une passoire, laver et brosser les moules.

Dans une grande poêle qu'on peut couvrir, à feu moyen-vif, faire chauffer l'huile et le beurre.

Faire revenir l'ail et le poireau 2 minutes. Ajouter le vin blanc et laisser réduire 2 minutes.

Incorporer les moules, couvrir et cuire 5 à 7 minutes, ou jusqu'à ce que les moules soient ouvertes. Réserver les moules.

À feu vif, ajouter les tomates et les herbes au bouillon. Laisser réduire à découvert 3 minutes. Saler et poivrer au goût. Réduire le feu et remettre les moules dans la poêle. Réchauffer et servir.

Duo saumon et thon

Sauce

2 c. à soupe	**beurre** ou **margarine**	30 g
1	**gousse d'ail**, émincée	1
⅓ tasse	**oignon**, haché	80 g
⅓ tasse	**courgette**, pelée et coupée en dés	80 g
2 c. à soupe	**farine**	20 g
1½ tasse	**lait**	375 ml
2 tasses	**tomates en dés** en boîte	454 g
1 boîte	**saumon sauvage**, émietté	213 g/7,5 oz
1 boîte	**thon**, émietté	133 g/4,7 oz

Pâte

1½ tasse	**farine**	225 g
1 c. à soupe	**levure chimique**	15 g
¼ tasse	**beurre** froid	60 g
1 tasse	**lait**	250 ml
⅓ tasse	**parmesan** frais, râpé	33 g
½ c. à thé	**paprika**	2,5 g

Préchauffer le four à 200 °C (400 °F).

Dans une grande poêle, faire fondre le beurre à feu moyen. Faire revenir l'ail, l'oignon et la courgette 3 à 4 minutes dans le beurre.

Ajouter la farine et bien mélanger. Incorporer graduellement le lait et laisser épaissir.

Ajouter les tomates, le saumon et le thon. Poursuivre la cuisson 5 minutes. Déposer le mélange dans un plat rectangulaire allant au four.

Dans un bol, mélanger la farine et la levure chimique. Ajouter le beurre coupé en morceaux et émietter le mélange à l'aide de deux couteaux coupants. Incorporer le lait et mélanger à la cuillère.

Avec la cuillère, former et parsemer une douzaine de monticules de pâte sur le mélange au poisson. Ajouter le parmesan et le paprika sur la pâte. Cuire au four 25 minutes.

Calmars frits

Pour mes enfants, les calmars frits sont une petite récompense de fin de semaine.

½ tasse	**farine**	75 g
½ tasse	**semoule de maïs** fine	75 g
1 c. à thé	**levure chimique**	5 g
1 c. à thé	**sel**	5 g
	huile pour friture	
1 lb	**rondelles de calmar**	454 g
	citron, pour service	

Dans un bol, mélanger la farine, la semoule, la levure chimique et le sel.

Plonger chacun des calmars dans le mélange et bien les enrober.

Dans une poêle, faire chauffer une bonne quantité d'huile végétale.

Plonger les calmars au moment où l'huile est très chaude. Laisser frire les calmars jusqu'à ce qu'ils soient bien dorés. Déposer sur du papier absorbant ou du papier journal pour enlever l'excédent d'huile.

Servir avec un trait de jus de citron.

Crevettes aux tomates

Comme la sauce de cette recette a un goût très prononcé, elle détourne l'attention de nos enfants de la crevette.

¼ tasse	**sauce soya**	60 ml
2 c. à soupe	**pâte de tomate**	30 ml
1 c. à soupe	**jus de citron**	15 ml
1 c. à thé	**huile de sésame**	5 ml
1	**gousse d'ail**, pressée	1
¼ c. à thé	**gingembre**, moulu	1 ml
1 lb	**crevettes** moyennes, décortiquées	454 g

Dans un contenant hermétique, mélanger la sauce soya, la pâte de tomate, le jus de citron, l'huile de sésame, l'ail et le gingembre.

Plonger les crevettes dans la marinade et laisser reposer au moins 30 minutes.

Dans une poêle, à feu vif, faire revenir les crevettes 1 à 2 minutes.

Truite aux amandes

La truite, tout comme le saumon d'ailleurs, est une bonne porte d'entrée pour faire apprécier le poisson aux enfants.

½ tasse	**amandes**, tranchées	75 g
1 lb	**truite**	454 g
2 c. à soupe	**beurre** ou **margarine**, fondu	30 g
½ tasse	**persil** frais, haché	113 g
1	**oignon vert**, émincé	1
2 c. à soupe	**jus de citron** frais	30 ml

Préchauffer le four à 190 °C (375 °F).

Dans une poêle, à sec, faire griller les amandes quelques minutes à feu moyen

Déposer la truite dans un plat allant au four.

Dans un petit bol, faire fondre le beurre et ajouter le persil, l'oignon vert et le jus de citron. Étendre le mélange sur le poisson.

Ajouter les amandes.

Cuire au four 20 minutes.

Burger de poisson

Le goût de la morue est assez prononcé. Ce n'est pas nécessairement un poisson vers lequel les enfants sont attirés. Cette recette est excellente pour l'apprivoiser. Donne entre 4 et 6 croquettes selon la grosseur de vos pains.

1 c. à soupe	**huile d'olive**	15 ml		½ c. à thé	**gros sel**	2,5 ml
1	**gousse d'ail**, émincée	1		½ tasse	**carotte**, râpée	113 g
½ tasse	**oignon**, haché	113 g		1	**œuf**	1
½	**poivron rouge**, coupé en dés	½		¾ tasse	**chapelure**	180 g
1 lb	**morue fraîche**, coupée en dés	454 g		4 à 6	**pains à hamburgers**	4 à 6

Préchauffer le four à 200 °C (400 °F).

Dans une poêle, à feu moyen, faire revenir l'ail, l'oignon et le poivron dans l'huile 2 minutes.

Ajouter la morue, le sel et la carotte. Poursuivre la cuisson 10 minutes, ou jusqu'à ce que le liquide du poisson soit complètement évaporé. (Vous pouvez défaire la morue à l'aide d'une cuillère de bois.) Laisser tiédir.

Incorporer l'œuf et la chapelure. Façonner des croquettes et déposer sur une plaque à cuisson huilée.

Cuire au four une quinzaine de minutes. Retourner les croquettes à la mi-cuisson. Garnir vos pains à hamburgers d'une bonne mayonnaise à l'ail.

Variante : Vous pourriez ajouter une poignée de persil haché au fil de la cuisson ou une poignée de coriandre fraîche. La coriandre se marie à merveille au goût de la morue.

Mayonnaise à l'ail

Utilisez une huile neutre, sans goût, pour faire une bonne mayonnaise.

1	**jaune d'œuf**	1		1 tasse	**huile de canola**	250 ml
1 c. à soupe	**moutarde de Dijon**	15 ml		1	**gousse d'ail**	1
2 c. à soupe	**jus de citron** frais	30 ml		1 c. à thé	**gros sel**	5 g

Dans un robot culinaire, déposer le jaune d'œuf, la moutarde de Dijon, le jus de citron frais et 80 ml (⅓ tasse) de l'huile d'olive. Actionner le robot culinaire environ 1 minute. Ajouter 80 ml (⅓ tasse) d'huile d'olive en filet et laisser épaissir la mayonnaise. Ajouter la gousse d'ail et le sel. Actionner à nouveau le robot culinaire et ajouter 80 ml (⅓ tasse) d'huile d'olive en filet. La mayonnaise va prendre l'allure... d'une mayonnaise !

En quelques minutes, faire une mayonnaise deviendra un jeu d'enfant.

Pizza aux fruits de mer

Si vos enfants ne sont pas friands des fruits de mer, c'est peut-être par la pizza que vous saurez les amadouer. Il est important de choisir des fruits de mer de qualité pour mettre toutes les chances de votre côté.

1 c. à soupe	**huile d'olive**	15 ml
2	**gousses d'ail**, émincées	2
½ tasse	**poireau**, émincé	113 g
½	**poivron de couleur**, coupé en dés	½
⅓ lb	**pétoncles** frais	150 g
⅓ lb	**crevettes** fraîches	150 g
4	**pains Naan**	4
	Béchamel	
1 c. à soupe	**beurre** ou **margarine**	15 g
1 c. à soupe	**farine**	10 g
1 tasse	**lait**	250 ml
½ c. à thé	**cari**	2,5 g
2½ tasses	**fromage havarti**, râpé	250 g

Préchauffer le four à 190 °C (375 °F).

Dans une poêle, à feu moyen, faire revenir l'ail, le poireau et le poivron dans l'huile d'olive 3 minutes.

Ajouter les pétoncles et les crevettes et cuire 1 à 2 minutes de chaque côté. Réserver et hacher les fruits de mer en petits morceaux.

Incorporer les légumes et les fruits de mer à la béchamel.

Pour la béchamel : Faire fondre le beurre avec la farine 30 secondes au four à micro-ondes. Ajouter le lait et le cari. Poursuivre la cuisson 6 minutes en remuant aux 2 minutes.

Déposer la béchamel de fruits de mer sur les pains Naan. Ajouter le fromage havarti râpé.

Cuire au four 15 minutes et terminer la cuisson sous le gril pour faire dorer le fromage.

Paëlla

Le chorizo est un saucisson typiquement espagnol qui se trouve de plus en plus facilement en épicerie.

3 c. à soupe	**huile d'olive**	45 ml		1 tasse	**vin blanc**	250 ml
1	**gousse d'ail**, émincée	1		2 tasses	**bouillon de poisson**	500 ml
½ tasse	**oignon**, haché	113 g		2 c. à thé	**safran**	10 g
⅓ tasse	**chorizo**, coupé en dés	80 g		1	**tomate**, coupée en quartiers	1
¼ lb	**rondelles de calmars**	100 g		1 boîte	**pois verts**, égouttés	284 g/10 oz
¾ tasse	**carottes**, coupées en dés	180 g		½ lb	**pétoncles**	225 g
¾ tasse	**haricots verts**, coupés en morceaux	180 g		½ lb	grosses **crevettes**	225 g
½	**poivron de couleur**, coupé en dés	½		10	**moules**	10
1½ tasse	**riz Arborio**	285 g		6	**palourdes**	6

Dans une poêle, à feu moyen-vif, faire revenir l'ail, l'oignon et le chorizo dans l'huile d'olive 3 à 4 minutes. (Si vous n'arrivez pas à trouver du chorizo, utilisez un autre genre de saucisson sec.) Ajouter les calmars. Poursuivre la cuisson 1 à 2 minutes.

Ajouter la carotte, les haricots verts et le poivron. Poursuivre la cuisson 2 minutes.

Ajouter le riz et bien mélanger pendant 1 minute.

Incorporer graduellement le vin blanc et le bouillon de poisson chaud auquel on aura ajouté le safran. À partir de ce moment, il faut cesser de remuer et laisser la paëlla faire son œuvre. Ajouter les morceaux de tomate et les pois verts. Poursuivre la cuisson 10 minutes.

Ajouter les pétoncles, les crevettes, les moules et les palourdes.

Laisser cuire jusqu'à ce que tout le liquide soit absorbé. Laisser même la paëlla coller légèrement au fond de la poêle. l'idéal serait d'utiliser une poêle qui n'est pas antiadhésive. C'est ce qui est savoureux. Assaisonner au goût.

Petit truc :

La tomate sera meilleure sans la peau. Plongez-la 1 minute dans un petit chaudron d'eau bouillante. La peau s'enlèvera très facilement.

Apprivoiser
les légumes

Carotte, haricot, oignon, brocoli, courgette, champignon, céleri, courge, chou-fleur. De si beaux mots pour les oreilles !!! Pourquoi les enfants sont-ils aussi frileux à l'idée de manger des légumes ??? Ils sont pourtant si bons, colorés et gorgés de vitamines. Voici quelques recettes pour leur donner un peu plus de charme...

Ratatouille

La ratatouille a un petit quelque chose qui rebute les enfants... Mais, je sens que ma recette aura un petit quelque chose pour les charmer !!!

3 tasses	**aubergine**, coupée en dés	680 g	1 tasse	**haricots verts**,	225 g
2 tasses	**courgette**, coupée en dés	454 g		coupés en petits morceaux	
1 c. à thé	**sel de mer**	5 g	1	**poivron rouge**, coupé en dés	1
¼ tasse	**huile d'olive**	60 ml	2	**tomates**, coupées en dés	2
1	gros **oignon blanc**, coupé en dés	1	1	**feuille de laurier**	1
3	**gousses d'ail**, émincées	3	½ c. à thé	**herbes de Provence**	2,5 g
1 tasse	**carottes**, coupées en dés	225 g		**sel** et **poivre** au goût	

Dans un bol, déposer l'aubergine et la courgette. Ajouter le sel et laisser dégorger une trentaine de minutes. Jeter ensuite l'excédent d'eau et bien assécher les légumes avec du papier absorbant.

Dans un chaudron, faire chauffer l'huile à feu vif. Faire revenir l'aubergine et la courgette 2 minutes. Réserver.

Dans ce qu'il reste d'huile, faire revenir l'oignon et l'ail à feu moyen 2 minutes. Ajouter un peu d'huile s'il en manque.

Ajouter les carottes, les haricots verts et le poivron. Poursuivre la cuisson 2 minutes. Ajouter les tomates, la feuille de laurier et les herbes de Provence. Poursuivre la cuisson 5 minutes.

Ajouter l'aubergine et la courgette. Couvrir et laisser mijoter à feu doux une vingtaine de minutes, ou jusqu'à ce que la cuisson des légumes soit à votre goût. Assaisonner.

Vos enfants n'aiment pas du tout ? Vous pourrez toujours broyer la ratatouille en purée au robot culinaire.

Bouquet de chou-fleur

Un beau chou-fleur que vous allez servir entier sur la table. Les enfants vont pouvoir couper eux-mêmes les petits bouquets de chou-fleur.

1	chou-fleur	1
2 c. à soupe	beurre ou margarine	30 g
2 c. à soupe	farine	20 g
1½ tasse	lait	375 ml
¾ tasse	fromage cheddar, râpé	75 g

Faire cuire le chou-fleur entier à la vapeur. S'assurer qu'il soit vraiment bien cuit jusqu'au milieu. Déposer dans un bol ou une assiette de service.

Dans un bol allant au micro-ondes, faire fondre le beurre avec la farine 30 secondes. Ajouter le lait et poursuivre la cuisson 6 minutes au micro-ondes. Remuer aux 2 minutes.

Ajouter le fromage. Cuire à nouveau 1 minute. Assaisonner au goût.

Verser la sauce sur le chou-fleur et servir.

Variante :

Ajouter ½ tasse (113 g) de pois verts
à la sauce béchamel.

Grelot surprise

Utilisez des pommes de terre grelot de grosseur moyenne.

6	pommes de terre grelot	6
2 c. à thé	huile d'olive	10 ml
½ tasse	oignon, haché finement	113 g
1	gousse d'ail, émincée	1
1 c. à soupe	tomates séchées dans l'huile, émincées	15 g
½ tasse	fromage de chèvre crémeux	113 g
1 c. à thé	chapelure	5 g

Préchauffer le four à 190 °C (375 °F).

Dans un chaudron, faire cuire les pommes de terre grelot dans l'eau bouillante. Laisser refroidir et couper en deux.

À l'aide d'une petite cuillère, vider le centre des pommes de terre pour pouvoir les farcir.

Dans une petite poêle, à feu moyen, faire revenir l'oignon, l'ail et les tomates séchées dans l'huile 2 à 3 minutes. Ajouter le fromage de chèvre et laisser fondre.

Garnir les pommes de terre du mélange. Saupoudrer de la chapelure.

Déposer sur une plaque à cuisson. Cuire au four une quinzaine de minutes.

Petit truc :

Si les pommes de terre ne tiennent pas debout, prendre un couteau et couper le dessous de la pomme de terre.

Purée explosive de navet

2 tasses	**navet**	454 g
1 tasse	**pommes de terre**	225 g
1 tasse	**brocoli**	225 g
¼ tasse	**lait**	60 ml
2 c. à soupe	**beurre** ou **margarine**	30 g
1 pincée	**herbes de Provence**	1 pincée
	sel et **poivre** au goût	

Faire cuire le navet, la pomme de terre et le brocoli. (Optez pour la cuisson de votre choix mais assurez-vous que les légumes soient bien cuits.)

Réduire les légumes en purée au robot culinaire avec le lait et le beurre. Ajouter une pincée d'herbes de Provence et assaisonner au goût.

Salade de betteraves

Pour vendre la salade de betteraves ? Sucrée... Vitaminée... Colorée !

4 tasses	**betteraves**, cuites	907 g	2 c. à thé	**moutarde de Dijon**	10 ml
2 c. à soupe	**mayonnaise**	30 ml	2 c. à thé	**flocons d'oignon**	10 g
2 c. à soupe	**vinaigre de cidre**	30 ml		**sel** et **poivre** au goût	

Couper les betteraves en fine julienne.

Dans un petit bol, mélanger les autres ingrédients à l'aide d'un petit fouet. Verser la sauce sur les betteraves.

Assaisonner au goût.

Courgette minute

Une recette facile comme tout. Et une belle façon d'apprivoiser la courgette.

1	**courgette** moyenne	1
1 c. à soupe	**huile d'olive**	15 ml
	sel et **poivre** au goût	

Couper la courgette en rondelles d'une épaisseur d'environ ½ cm (¼ po).

Dans une grande poêle, faire chauffer l'huile à feu vif.

Cuire les courgettes environ 8 minutes en les retournant régulièrement. (Vous pouvez baisser le feu au cours de la cuisson, mais gardez un feu assez vif.)

Assaisonner en début de cuisson.

Cette recette est excellente avec beaucoup de poivre.

Haricots au feta

Les enfants aiment beaucoup les haricots. Avec du fromage, ils sont au paradis !!!

6 tasses	**haricots verts**	1,3 kg
½ tasse	**fromage feta**, émietté	50 g
¼ tasse	**oignon rouge**, haché finement	55 g
2 c. à thé	**moutarde de Dijon**	10 ml
1 c. à soupe	**huile d'olive**	15 ml

Faire cuire les haricots à la vapeur. Déposer les haricots dans un bol et ajouter le reste des ingrédients. Bien mélanger.

Poivrons goûteux

Le pimenton est un paprika fumé. Si vous n'arrivez pas à en trouver, utilisez simplement du paprika.

2 c. à soupe	**huile d'olive**	30 ml
1	**oignon rouge**, haché	1
2	**gousses d'ail**, émincées	2
3	**poivrons de couleur**	3
1 tasse	**tomates** fraîches	225 g
½ c. à thé	**pimenton**	2,5 g

Dans une grande poêle, à feu moyen, faire revenir l'oignon et l'ail dans l'huile d'olive 3 à 4 minutes.

Ajouter les poivrons coupés en lanières et poursuivre la cuisson pendant 10 minutes.

Pendant ce temps, plonger les tomates dans l'eau bouillante 1 minute. Les laisser tiédir avant de les peler, de les épépiner et de les couper en dés.

Incorporer les dés de tomate et le pimenton aux poivrons. Poursuivre la cuisson 10 minutes. Assaisonner au goût.

Servir comme accompagnement à votre plat principal ou en entrée sur des croûtons de pain.

Courge spaghetti

4 tasses	**courge spaghetti**, cuite	907 g
1	**gousse d'ail**, émincée	1
1	**oignon**, haché	1
½ tasse	**pois** surgelés	113 g
2 c. à soupe	**huile d'olive**	30 ml
1 tasse	**carottes**, râpées	225 g
⅓ tasse	**crème champêtre** (15 %)	80 ml
⅔ tasse	**eau**	160 ml
¾ tasse	**parmesan** frais, râpé	75 g
	sel et **poivre** au goût	

Faire cuire la courge spaghetti.

Dans une grande poêle, à feu moyen, faire revenir l'ail, l'oignon et les pois verts dans l'huile d'olive 2 à 3 minutes.

Incorporer la courge spaghetti et les carottes. Poursuivre la cuisson 2 à 3 minutes.

Ajouter la crème, l'eau et le parmesan. (Vous pourriez mettre plus de crème ou ne pas en mettre du tout.)

Réchauffer, assaisonner et servir.

Petit truc :

Comment cuire la courge spaghetti ? Couper la courge spaghetti en deux. Déposer sur une plaque à cuisson. Cuire au four une quarantaine de minutes à 200 °C (400 °F). Détacher par la suite les filaments de la courge à l'aide d'une fourchette.

Matou reconnu ?
Pour trouver le plus gourmand
des chats, plongez dans
son regard !

Trio de légumes

Le panais est un légume-racine qui ressemble beaucoup à la carotte. Son goût est assez prononcé, il faut l'apprivoiser. On le mêle ici à deux autres légumes.

3	patates douces	3	1 c. à thé	flocons d'oignon	5 g
4	panais	4	½ c. à thé	herbes de Provence	2,5 g
4	carottes	4		sel au goût	
2 c. à soupe	huile d'olive	30 ml			

Préchauffer le four à 200 °C (400 °F).

Peler tous les légumes et les couper en bâtonnets.

Déposer les légumes sur une plaque à cuisson. Ajouter l'huile, les flocons d'oignon, les herbes de Provence et le sel. Bien mélanger.

Cuire au four 45 minutes, ou jusqu'à ce que la cuisson des légumes soit à votre goût. Remuer régulièrement les légumes au cours de la cuisson.

Brocoli vinaigrette

1	brocoli, en bouquets	1
1 c. à soupe	mayonnaise	15 ml
2 c. à soupe	parmesan frais, râpé	30 g
1 c. à soupe	huile d'olive	15 ml
2 c. à soupe	vinaigre au choix	30 ml
1 c. à soupe	ciboulette, émincée	15 g
1 c. à thé	paprika	5 g
	sel et poivre au goût	

Faire cuire le brocoli à la vapeur. Déposer dans un plat de service.

Dans un petit bol, mélanger le reste des ingrédients. Verser sur le brocoli. Assaisonner au goût.

Pâtés à la courge

Si vous n'avez pas de poireau, utilisez de l'oignon. Donne 4 petits pâtés.

2 tasses	courge Butternut	454 g
1 tasse	patate douce	225 g
1 c. à soupe	beurre ou margarine	15 g
½ tasse	poireau, émincé	113 g
1	gousse d'ail, émincée	1
1½ c. à thé	fécule de maïs	7,5 g
1½ tasse	bouillon de légumes	375 ml
¼ tasse	fromage à la crème	60 g
½ c. à thé	herbes de Provence	2,5 g
2	abaisses à tarte	2
¼ tasse	parmesan frais, râpé	25 g

Préchauffer le four à 190 °C (375 °F).

Couper la courge et la patate douce en dés. Faire cuire à la vapeur et réserver.

Dans une poêle, à feu moyen, faire revenir le poireau et l'ail dans le beurre 2 à 3 minutes.

Diluer la fécule de maïs dans le bouillon de légumes chaud.

Ajouter le bouillon au mélange de poireau. Laisser mijoter 1 à 2 minutes.

Ajouter le fromage à la crème en petits morceaux. Laisser fondre et laisser épaissir la sauce. Ajouter les herbes de Provence, la courge et la patate douce. Bien mélanger.

Couvrir le fond de 4 ramequins de grosseur moyenne de pâte à tarte.

Remplir du mélange aux légumes.

Garnir de fromage parmesan et recouvrir d'un autre morceau de pâte.

Cuire au four 35 minutes.

Petit truc :

Déposer une plaque à cuisson sous les pâtés au cas où il y aurait des... débordements.

Tian de légumes

2 c. à soupe	**huile d'olive**	30 ml
1	**gousse d'ail**, émincée	1
8 tranches	**pomme de terre rouge**	8
8 tranches	**aubergine**	8
8 tranches	**courgette**	8
8 tranches	**tomate**	8
4 tranches	**oignon rouge**	4

Préchauffer le four à 190 °C (375 °F).

Dans un bol, mélanger l'huile d'olive et l'ail. Ajouter la pomme de terre, l'aubergine et la courgette. Bien mélanger.

Dans 4 ramequins de grosseur moyenne, déposer une tranche de pomme de terre, une tranche de tomate, une tranche d'aubergine et une tranche de courgette. Déposer une tranche d'oignon et un filet d'huile d'olive (environ 5 ml/1 c. à thé d'huile).

Déposer l'autre tranche de pomme de terre, la tomate, l'aubergine et la courgette. Arroser à nouveau d'un filet d'huile d'olive.

Cuire au four 1 heure.

Petit truc :
Si votre courgette est petite, couper les tranches en biseau pour qu'elles soient plus grandes.

Riz aux champignons

Dans cette recette, les champignons sont hachés si finement que les enfants ne les verront plus...

1 paquet	**champignons blancs**	227 g/8 oz	1½ tasse	**riz brun** à grain long	285 g
1	**oignon**, haché	1	6 tasses	**bouillon de poulet**	1,5 l
1	**gousse d'ail**, émincée	1	1 c. à thé	**huile d'olive**	5 ml
1 c. à soupe	**huile d'olive**	15 ml	1 tasse	**poulet** cuit, coupé en dés	225 g
1 c. à soupe	**beurre** ou **margarine**	15 g	1 c. à soupe	**sauce soya**	15 ml

À l'aide d'un gros couteau, hacher les champignons jusqu'à ce qu'ils soient émiettés.

Dans une grande poêle, à feu moyen, faire revenir l'oignon, l'ail et les champignons dans l'huile et le beurre 10 minutes.

Ajouter le riz et bien l'enrober du corps gras. Ajouter le bouillon de poulet. (J'aime bien ajouter le bouillon 250 ml [1 tasse] à la fois.) Cuire 45 minutes.

Pendant ce temps, dans une petite poêle, faire chauffer 5 ml (1 c. à thé) d'huile d'olive à feu vif. Faire griller le poulet avec la sauce soya.

Ajouter le poulet à la fin de la cuisson du riz. Assaisonner au goût.

Avocat au thon

Vous pouvez mettre de la crème sure plutôt que de la mayonnaise dans cette recette.

1	**avocat** bien mûr	1	1 c. à soupe	**mayonnaise**	15 ml
1 boîte	**thon** émietté, égoutté	133 g/4,7 oz		**sel** et **poivre** au goût	
1 c. à soupe	**oignon**, haché finement	15 g	12 à 15 tranches	**pain baguette**	12 à 15 tranches

Couper l'avocat en petits dés. Déposer dans un bol. Ajouter le reste des ingrédients et bien mélanger. Assaisonner au goût. Déposer sur les tranches de pain baguette.

Un p'tit
dessert ?

Le GRAND défi des desserts avec les enfants est de les rendre aussi attrayants que le vaste choix de gâteries, sucreries et autres petites douceurs qu'on retrouve sur le marché. Je dois avouer que ce n'est pas toujours facile. Mais, il y a moyen de réduire la quantité de sucre et de gras dans nos desserts... et qu'ils soient populaires !!!

Biscuits aux 4 noix

Donne une vingtaine de biscuits.

1 tasse	**farine de blé entier**	150 g
1 tasse	**flocons d'avoine**, non cuits	135 g
1 c. à soupe	**levure chimique**	15 g
⅓ tasse	**huile végétale**	80 ml
1	**œuf**	1
⅓ tasse	**compote de pommes**	80 ml
¼ tasse	**cassonade**	50 g
¼ tasse	**cerises au marasquin**, coupées en dés	55 g
1 c. à soupe	**jus des cerises**	15 ml
¼ tasse	**graines de tournesol**	55 g
¼ tasse	**amandes**, tranchées	40 g
¼ tasse	**noix de Grenoble**, hachées	40 g
¼ tasse	**pacanes**, hachées	40 g

Préchauffer le four à 190 °C (375 °F).

Dans un bol, mélanger la farine, les flocons d'avoine et la levure chimique.

Ajouter l'huile, l'œuf, la compote de pommes, la cassonade, les cerises et le jus des cerises.

Incorporer délicatement les graines de tournesol, les amandes, les noix de Grenoble et les pacanes. Bien mélanger.

À l'aide d'une cuillère, déposer la pâte en monticules sur une plaque à cuisson huilée ou recouverte de papier parchemin.

Cuire au four 25 minutes.

Biscuits aux flocons d'avoine

Les biscuits aux flocons d'avoine sont souvent très sucrés et très gras. Voici une version allégée. Il serait même possible de ne pas mettre de cassonade du tout. Donne 18 à 20 biscuits.

1 tasse	**dattes**, séchées	225 g		¼ tasse	**cassonade**	50 g
¾ tasse	**eau**	180 ml		1 tasse	**farine non blanchie**	150 g
½ c. à thé	**bicarbonate de soude**	2,5 g		2 tasses	**flocons d'avoine**, non cuits	180 g
¼ tasse	**beurre** ou **margarine**	60 g		1 pincée	**sel**	1 pincée
1 c. à thé	**essence de vanille**	5 ml		½ tasse	**raisins secs**	113 g
1	**œuf**	1				

Préchauffer le four à 190 °C (375 °F).

Dans un bol, déposer les dattes hachées avec l'eau et le bicarbonate de soude. Cuire au micro-ondes 5 minutes à puissance maximale. Ajouter le beurre et laisser tiédir.

Incorporer l'essence de vanille, l'œuf et la cassonade. Bien mélanger à l'aide d'une cuillère.

Ajouter graduellement la farine, les flocons d'avoine, le sel et les raisins secs.

Sur une plaque à cuisson huilée ou recouverte de papier parchemin, déposer le mélange en grosses cuillérées et aplatir avec une fourchette. Cuire au four 15 minutes.

Biscuits chocolat banane

Donne 32 à 36 biscuits.

2	**bananes**, bien mûres	2	⅓ tasse	**arachides non salées**, hachées	50 g
¼ tasse	**miel**	60 ml	1 tasse	**lait**	250 ml
2	**œufs**	2	3 tasses	**farine de blé entier**	450 g
½ tasse	**brisures de chocolat**	113 g	1 c. à thé	**levure chimique**	5 g
¼ tasse	**huile végétale**	60 ml			

Préchauffer le four à 190 °C (375 °F).

Dans un grand bol, au micro-ondes, chauffer les bananes et le miel 1 à 2 minutes. Écraser les bananes à la fourchette.

Ajouter les œufs, les brisures de chocolat, l'huile et les arachides. Bien remuer. Les brisures de chocolat vont fondre dans le mélange. Verser le lait.

Incorporer graduellement le mélange de farine et de levure chimique.

Déposer à la cuillère sur une plaque à cuisson légèrement huilée ou recouverte de papier parchemin.

Cuire au four 15 minutes.

Biscuits à l'ananas

Donne une trentaine de biscuits.

1	œuf	1
⅓ tasse	miel	80 ml
⅓ tasse	huile végétale	80 ml
⅓ tasse	crème sure	80 ml
⅓ tasse	lait	80 ml
1½ tasse	gruau à cuisson rapide	135 g
1 tasse	farine de blé entier	150 g
1 c. à thé	levure chimique	5 g
1 tasse	ananas, coupé en dés	225 g
½ tasse	noix de coco sucrée	113 g

Préchauffer le four à 180 °C (350 °F).

Dans un bol, mélanger les œufs, le miel, l'huile, la crème sure et le lait.

Dans un autre bol, mélanger le gruau, la farine et la levure chimique.

Incorporer les ingrédients secs aux ingrédients humides.

Ajouter l'ananas et la noix de coco.

À l'aide d'une cuillère, déposer en bouchées sur une plaque à cuisson huilée ou recouverte de papier parchemin.

Cuire au four 25 minutes.

Biscuits à la courge

Donne environ 24 biscuits.

1 tasse	purée de courge	250 ml
2	œufs	2
⅓ tasse	huile végétale	80 ml
⅓ tasse	sirop d'érable	80 ml
⅓ tasse	raisins secs	80 g
1½ tasse	farine de blé entier	225 g
2 c. à thé	levure chimique	10 g
½ tasse	brisures de chocolat blanc	113 g

Préchauffer le four à 190 °C (375 °F).

Réduire la courge cuite en purée. (Il est important que votre courge soit vraiment très cuite pour que la purée soit juteuse. Vous pouvez la faire bouillir ou la faire cuire à la vapeur.)

Déposer la purée de courge dans un bol. Ajouter les œufs, l'huile, le sirop d'érable et les raisins secs.

Incorporer graduellement la farine, la levure chimique et les brisures de chocolat blanc.

À l'aide d'une cuillère, déposer en bouchées sur une plaque à cuisson légèrement huilée ou recouverte de papier parchemin.

Cuire au four 15 minutes.

Clafoutis aux bleuets

Le clafoutis est un dessert qui marie les petits fruits à un mélange aux œufs. Cuisinez cette recette pendant la saison des bleuets.

3 tasses	**bleuets** frais	680 g
4	**œufs**	4
⅓ tasse	**sucre**	65 g
1½ tasse	**lait**	375 ml
1 c. à thé	**essence de vanille**	5 ml
¾ tasse	**farine non blanchie**	113 g
1 pincée	**sel**	1 pincée
½ tasse	**amandes**, tranchées	75 g
2 c. à thé	**sucre**	10 g

Préchauffer le four à 180 °C (350 °F).

Huiler légèrement un plat carré allant au four. Déposer la moitié des bleuets.

Dans un bol, battre les œufs. Ajouter le sucre, le lait et l'essence de vanille. Ajouter graduellement la farine et le sel.

Verser la pâte sur les bleuets dans le moule carré. Ajouter le reste des bleuets, les amandes et saupoudrer 2 c. à thé (10 g) de sucre.

Cuire au four 40 à 50 minutes.

Gâteau à l'orange

Maman... C'est comme une omelette sucrée !!! C'est vrai et c'est succulent. Le fromage ricotta fait des petites merveilles dans ce gâteau.

1 contenant	**fromage ricotta**	475 g/16,75 oz
2	**œufs**	2
¼ tasse	**sirop d'érable**	60 ml
¼ tasse	**jus d'orange**	60 ml
¼ tasse	**farine**	38 g
¼ tasse	**raisins secs**	55 g
¼ tasse	**abricots** séchés	55 g
1 c. à thé	**zeste d'orange**	5 g

Préchauffer le four à 190 °C (375 °F).

Dans un bol, mélanger le fromage ricotta, les œufs, le sirop d'érable et le jus d'orange.

Ajouter graduellement la farine, les raisins secs, les abricots coupés en petits dés et le zeste d'orange.

Déposer le mélange dans un moule à gâteau bien huilé.

Cuire au four une bonne heure, ou jusqu'à ce que le gâteau soit bien doré.

Manger froid.

Pain poire et canneberge

La canneberge est reconnue pour ses propriétés antioxydantes et les enfants aiment bien son petit goût acide. On devrait toujours garder des canneberges fraîches en réserve au congélateur.

2	**œufs**	2
½ tasse	**huile végétale**	125 ml
½ tasse	**nectar de poire**	125 ml
⅓ tasse	**sucre**	65 g
1½ tasse	**farine non blanchie**	225 g
2 c. à thé	**levure chimique**	10 g
1 c. à thé	**bicarbonate de soude**	5 g
1 pincée	**sel**	1 pincée
1½ tasse	**canneberges** fraîches	340 g
½ tasse	**noix de Grenoble**	113 g

Préchauffer le four à 190 °C (375 °F).

Dans un bol, mélanger les œufs, l'huile, le nectar de poire et le sucre.

Ajouter graduellement la farine, la levure chimique, le bicarbonate de soude et le sel.

Ajouter les canneberges et les noix de Grenoble.

Déposer dans un moule à pain bien huilé.

Cuire au four 45 minutes.

Carrés aux noix

½ tasse	**chapelure de biscuits Graham**	113 g	¼ tasse	miel	60 ml
½ tasse	**amandes**, moulues	60 g	⅓ tasse	**arachides**	80 g
2 c. à soupe	**huile d'olive**	30 ml	⅓ tasse	**graines de citrouille**	80 g
2 c. à soupe	**eau**	30 ml	⅓ tasse	**raisins secs**	80 g
1	**œuf**	1			

Préchauffer le four à 180 °C (350 °F).

Dans un plat carré allant au four, déposer la chapelure de biscuits Graham, les amandes, l'huile et l'eau. Bien mélanger et bien presser dans le fond du plat.

Dans un bol, déposer l'œuf, le miel, les arachides, les graines de citrouille et les raisins secs. Mélanger et déposer sur le mélange de biscuits Graham.

Cuire au four 25 à 30 minutes.

Laisser refroidir et couper en carrés.

Carrés au yogourt

1 tasse	**chapelure de biscuits Graham**	225 g	1	**œuf**	1
2 c. à soupe	**beurre** fondu ou **margarine**	30 g	1 tasse	**yogourt à la vanille**	250 ml
2 c. à soupe	**jus de citron** frais	30 ml	1 c. à thé	**zeste de citron**	5 g
⅓ tasse	**fromage à la crème**	75 g			

Préchauffer le four à 190 °C (375 °F).

Dans un plat carré allant au four, déposer les biscuits Graham, le beurre fondu et le jus de citron. Bien presser dans le fond du plat et cuire au four 10 minutes.

Dans un bol, faire ramollir le fromage à la crème 1 minute au micro-ondes. Ajouter l'œuf, le yogourt et le zeste de citron. Bien mélanger et déposer sur les biscuits Graham. Cuire au four 35 minutes. Laisser refroidir et couper en carrés.

Tarte Tatin aux pommes

Tarte Tatin un jour... tarte Tatin toujours !!! J'aime bien utiliser des pommes Cortland pour concocter cette recette.

⅓ tasse	**sucre**	65 g		⅓ tasse	**noix de pin**	80 g
1 c. à soupe	**eau**	15 ml		½ c. à thé	**cannelle**	2,5 g
4 tasses	**pommes**, tranchées	907 g		1	**abaisse de tarte**	1
2 c. à soupe	**beurre** ou **margarine**	30 g				

Préchauffer le four à 190 °C (375 °F).

Dans une poêle allant au four, déposer le sucre et l'eau. Laisser caraméliser le sucre à feu vif. C'est très rapide, environ 2 minutes.

Ajouter les pommes et poursuivre la cuisson 5 minutes à feu moyen. Ajouter le beurre, les noix de pin et la cannelle.

Déposer l'abaisse de tarte sur les pommes.

Cuire au four 30 minutes.

Renverser la tarte sur une assiette.

Pâte à tarte (pâte brisée)

Recette facile pour la maman pressée. Cette recette se fait aussi bien avec une farine de blé entier qu'avec de la farine blanche... ou moitié-moitié.

2½ tasses	**farine**	375 g		1	**jaune d'œuf**	1
¼ c. à thé	**sel**	1 g		⅔ tasse	**eau**, glacée	160 ml
½ tasse	**beurre** ou **margarine**	120 g				

À l'aide d'un robot culinaire, mélanger la farine et le sel.

Ajouter le beurre très froid coupé en morceaux. Activer le robot culinaire par petites secousses pour émietter le beurre ou la margarine.

Dans une tasse à mesurer, battre le jaune d'œuf et ajouter suffisamment d'eau glacée pour arriver à 160 ml (⅔ tasse). Verser dans le robot culinaire et activer par secousses jusqu'à l'obtention d'une pâte ferme.

Séparer la pâte en 2 ou 4 portions. Envelopper dans de la pellicule plastique. Réfrigérer avant de rouler la pâte.

Gâteau aux épices

¾ tasse	**farine de kamut**	113 g	½ c. à thé	**clous de girofle**, moulus	1 g
¾ tasse	**farine de blé entier**	113 g	2	**œufs**	2
2 c. à thé	**levure chimique**	10 g	⅓ tasse	**huile végétale**	80 ml
½ c. à thé	**bicarbonate de soude**	2,5 g	½ tasse	**miel**	125 ml
½ c. à thé	**cannelle**	1 g	½ tasse	**lait**	125 ml
½ c. à thé	**muscade**	1 g	1	**banane**, écrasée	1
½ c. à thé	**gingembre**, moulu	1 g	½ tasse	**raisins secs**	113 g

Préchauffer le four à 190 °C (375 °F).

Dans un bol, mélanger la farine de kamut, la farine de blé, la levure chimique, le bicarbonate de soude et les épices.

Dans un autre bol, battre les œufs avec l'huile végétale. Ajouter le miel, le lait et la banane. Incorporer le mélange humide au mélange sec. Bien mélanger. Ajouter les raisins secs.

Déposer dans un moule carré huilé.

Cuire au four 35 minutes. Servir nature ou avec un glaçage rapide.

Glaçage rapide

¼ tasse	**beurre** ou **margarine**	60 g	1 c. à soupe	**crème** (35 %)	15 ml
¾ tasse	**sucre à glacer**	75 g			

Avec un batteur électrique, réduire le beurre en crème. Ajouter graduellement le sucre à glacer et la crème. Continuer à battre jusqu'à ce que le glaçage soit homogène. Étendre sur le gâteau refroidi.

Brownies au tofu

1 paquet	tofu soyeux	300 g/10,6 oz	1	banane	1
1 tasse	lait de soya au chocolat	250 ml	1 tasse	farine de blé entier	150 g
½ tasse	cacao	113 g	2 c. à thé	levure chimique	10 g
1	œuf	1	½ tasse	amandes	113 g
½ tasse	sucre	100 g	½ tasse	noix de Grenoble, hachées	75 g
¼ tasse	huile végétale	60 ml			

Préchauffer le four à 190 °C (375 °F).

Dans un robot culinaire, mélanger le tofu, le lait de soya, le cacao, l'œuf, le sucre, l'huile et la banane.

Ajouter graduellement la farine de blé entier, la levure chimique et les amandes. Broyer à nouveau. Incorporer les noix de Grenoble. Mélanger à la cuillère. Déposer dans un moule rectangulaire huilé.

Cuire au four 45 minutes, ou jusqu'à ce que les brownies soient bien fermes.

Pain pomme et banane

1½ tasse	farine de blé entier	225 g	⅓ tasse	huile végétale	80 ml
½ tasse	germe de blé	60 g	¼ tasse	sucre	50 g
2 c. à thé	levure chimique	10 g	1 tasse	bananes, écrasées	225 g
½ c. à thé	bicarbonate de soude	2,5 g	1 tasse	pommes, coupées en dés	225 g
1	pincée de sel	1	⅓ tasse	raisins secs	80 g
2	œufs	2	½ c. à thé	cannelle	2,5 g

Préchauffer le four à 190 °C (375 °F).

Dans un bol, mélanger la farine, le germe de blé, la levure chimique, le bicarbonate de soude et le sel.

Dans un autre bol, mélanger les œufs, l'huile, le sucre et les bananes. Incorporer le mélange humide aux ingrédients secs. Bien mélanger.

Ajouter les dés de pomme, les raisins secs et la cannelle.

Déposer dans un moule à pain huilé.

Cuire au four 45 minutes.

À propos de l'auteure

Animatrice à la radio depuis plus de 10 ans, Marie-Claude Morin est curieuse, allumée, dynamique et... maman de trois jeunes enfants !!!

Végétarienne de longue date et passionnée de cuisine, *L'express végétarien* (2005) a été son premier projet de livre de recettes. Elle avait alors envie de rendre accessible à tous la cuisine végétarienne et la cuisine santé.

Puis, arrive un premier enfant. Pendant son congé de maternité, elle travaille aux recettes du livre *La bible des soupes* (2006), aujourd'hui vendu à plus de 35 000 exemplaires.

Puis, arrive un deuxième enfant et, dans son sillage, l'idée de proposer des recettes pour donner un coup de pouce aux familles. *Recettes pour bébés et enfants* viendra au monde à l'automne 2008, pas très longtemps après la naissance de son troisième enfant.

À l'automne 2010, les enfants commencent l'école et Marie-Claude conçoit *Boîte à lunch pour enfants*. Elle y propose des solutions rapides et santé « pour ces matins qui reviennent si souvent ».

Marie-Claude Morin nous offre maintenant un autre livre qui nous suivra au quotidien : *Maman, j'ai faim !* « Parce que les enfants grandissent et que moi aussi j'ai besoin d'une nouvelle banque d'idées de recettes ! » confie-t-elle.

Toujours le même objectif : proposer des recettes faciles, accessibles et santé.

Pour joindre l'auteure :
mariecmorin@hotmail.com

Index

Bon appétit !